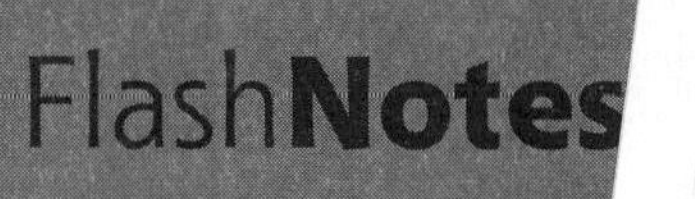

Créer des pages Web en HTML

Par David et Rhonda Crowder

Traduction : Fabrice Letourneur

FlashNotes Créer des pages Web en HTML

IDG Books Worldwide, Inc.
Une société de International Data Group
919 E. Hillsdale Blvd., Suite 400
Foster City, CA 94404

© Éditions First Interactive
13-15, rue Buffon
75005 Paris - France
Tél. 01 55 43 25 25
Fax 01 55 43 25 20
Minitel : 3615 AC3* F1RST
E-mail : efirst@efirst.com
Web : www.efirst.com

ISBN : 2-84427-153-7
Dépôt légal : 1er trimestre 2000

Table des matières

Présentation

Le HTML *(HyperText Markup Language)* permet de créer des pages Web qui seront lues par les principaux navigateurs Internet. Bien qu'il existe de nombreux générateurs de code HTML facilitant la tâche, comme Microsoft FrontPage, il est intéressant de décortiquer le fonctionnement de HTML. À l'issue de cet ouvrage, vous pourrez créer vos pages Web de toutes pièces et aussi améliorer des pages existantes.

Au fil de cet ouvrage, nous allons créer trois pages Web appartenant au site de la famille Durand (totalement fictive). Nous en profiterons pour percer les secrets du HTML. Vous pouvez bien évidemment choisir de créer un site plus personnel, les conseils prodigués seront tout aussi valables.

Les vraies raisons de lire ce livre

Voulez-vous :

- apprendre le HTML rapidement ?
- y parvenir sans lire un ouvrage de 500 pages ?
- comprendre le code HMTL en profondeur ?
- modifier des pages Web existantes ?

Si vous avez répondu « oui » à la majorité de ces questions, *FlashNotes Créer des pages Web en HTML* est fait pour vous !

Pour profiter de ce livre

À vous de décider comment employer ce livre : lisez-le du début jusqu'à la fin ou picorez de-ci de-là les réponses à des questions précises. Les recommandations suivantes vous aident à trouver rapidement les passages qui vous intéressent :

- L'index en fin d'ouvrage sert à localiser rapidement les pages comportant un terme particulier.
- Les titres courants évoquent le thème général d'un chapitre.
- La table des matières vous donne une vue d'ensemble des sujets abordés dans le livre.
- La liste « Dans ce chapitre » résume les points développés dans ledit chapitre.
- Les sections en fin d'ouvrage donnent des informations complémentaires et permettent de tester vos connaissances.
- Le contenu du livre suit une organisation logique et fonctionnelle : rien qu'en le feuilletant, vous pouvez trouver l'objet de vos recherches.

Des icônes placées stratégiquement en marge du texte vous indiquent les passages à ne pas manquer. Voici une description de ces icônes :

Cette icône signale une information à garder absolument en mémoire.

Un paragraphe marqué de l'icône Truc révèle un secret d'expert, une astuce ou un conseil utile.

Cette icône vous prévient d'un danger, d'une action à éviter ou réclamant des précautions particulières.

Créer une page Web simple

1

Dans ce chapitre

- Élaboration de la structure générale du site
- Comprendre les éléments et les balises HTML

Dans ce chapitre, nous allons étudier tous les éléments nécessaires à l'élaboration de la structure générale d'une page Web d'un site basique. Nous ne nous limiterons pas à une démonstration de HTML (Langage de balisage hypertexte – le langage permettant l'élaboration de documents destinés au World Wide Web), mais nous résoudrons les difficultés rencontrées lors de l'élaboration d'un site Web. Pour ce faire, nous créerons au fil de cet ouvrage le site Web de la famille Durand.

L'emplacement de stockage d'un fichier s'appelle un URL *(Uniform Resource Locator*, localisateur de site uniforme). Les URL représentent les adresses des fichiers et sont indissociables des fonctions HTML. Sans eux, le HTML se réduirait à un outil de mise en forme de texte. Ils permettent de relier les pages les unes aux autres par l'intermédiaire de liens à cliquer. Nous en apprendrons plus sur les URL au chapitre 5.

Nous vous encourageons à refaire toutes les étapes de la création du site Web que nous étudierons au fil de cet ouvrage. Libre à vous de réaliser le même site ou d'en créer un personnel ! C'est le meilleur moyen d'assimiler le HTML.

De quoi avons-nous besoin ?

La création de pages Web en HTML ne requiert pas de logiciels ou de matériel onéreux. Vous pourrez même vous contenter de votre navigateur HTML. Assurez-vous toutefois de disposer de l'équipement suivant :

- **Un éditeur de texte** : vous pouvez modifier ou créer des pages Web avec n'importe quel éditeur de texte. Le Bloc-notes de Windows 95/98/NT ou SimpleText sous Mac OS sont suffisants pour éditer des pages Web. Vous pouvez également utiliser Microsoft Word ou Corel WordPerfect. Assurez-vous alors d'enregistrer votre fichier en texte brut.

  Vous verrez que la procédure de mise en page de texte et d'image en HTML n'est pas très différente de celle d'un traitement de texte. Alors si vous êtes familier de ces techniques, tout ira bien.

- **Un navigateur Internet** : pour prévisualiser vos pages avant de les publier sur Internet. Au chapitre 8, nous étudierons une méthode de séparation et d'organisation de pages Web appelé *frame* (cadre, en français). Cette technique requiert un navigateur supportant les cadres. C'est le cas de Netscape Navigator 2.0 ou supérieur, ou Microsoft Internet Explorer 3.0 ou supérieur. Nous vous recommandons de toujours utiliser les dernières versions des navigateurs.

Il est recommandé de tester vos pages Web avec les deux navigateurs, car l'interprétation HTML peut différer légèrement de l'un à l'autre. De plus, on compte autant d'internautes équipés de Netscape que d'Explorer. Ces deux navigateurs sont gratuits et peuvent être téléchargés, l'un sur `www.netscape.com`, l'autre sur `www.microsoft.com`. Au chapitre 6, vous constaterez dans quelle mesure ces deux navigateurs diffèrent dans leur interprétation du HTML.

- **Un modem et une connexion Internet** : si vous voulez que vos pages Web soient consultables ailleurs que sur un réseau interne, vous devez être en mesure de vous connecter sur Internet et devez posséder un compte chez un fournisseur d'accès. La plupart des ordinateurs actuels sont vendus avec un modem accompagné d'offres d'abonnement à différents fournisseurs d'accès.

Voilà l'équipement nécessaire pour vous lancer dans la création de pages Web et maintenant, au boulot !

Si vous désirez afficher des photos sur votre page Web, vous avez besoin d'un scanner ou de tout autre appareil de numérisation afin de convertir vos images au format numérique. Vous avez également besoin d'un logiciel de traitement de l'image tel que Paint Shop Pro (`www.jasc.com`). Le travail de retouche d'image ne sera pas traité dans cet ouvrage. Renseignez-vous sur nos ouvrages abordant ce sujet.

Élaborer la structure générale

La page Web que nous allons maintenant créer pourra vous servir de modèle lors de vos prochaines créations destinées à l'Internet. Elle est composée de quatre commandes ou instructions HTML (on les appellera éléments). Retenez surtout la structure générale qui restera la même pour toutes les pages Web.

Commencer une page Web

On utilise un éditeur de texte pour créer des fichiers HTML. Un fichier HTML est un fichier de texte non mis en forme que le navigateur sait interpréter en tant que code de page Web.

Le *code source* (ensemble des instructions qui composent un document HTML) que vous créez pour une page Web est le même quel que soit l'éditeur de texte que vous utilisez. Cependant, la procédure d'enregistrement peut légèrement différer. Si vous utilisez un programme dédié à la création de pages Web, celui-ci enregistre automatiquement votre fichier de façon à le rendre compréhensible par les navigateurs. Un éditeur de texte traditionnel proposera l'extension `.txt` par défaut alors qu'un traitement de texte proposera son format de fichier propriétaire comme .doc ou .wpd. Vous devez veiller à enregistrer le texte sans mise en forme et avec l'extension .htm ou .html. La plupart des traitements de texte récents proposent d'enregistrer vos fichiers au format HMTL.

Si vous utilisez un traitement de texte qui ne possède pas d'option d'enregistrement au format HTML, choisissez le format .txt, texte seulement ou texte brut, ASCII, fichier texte.

Effectuez les étapes suivantes afin de créer votre première page Web :

1 Ouvrez votre éditeur de texte.

2 Saisissez les lignes suivantes :

```
<HTML>
<HEAD>
<TITLE>La Homepage de la famille Durand
</TITLE>
</HEAD>
<BODY>
<H1>La Homepage de la famille Durand</H1>
</BODY>
</HTML>
```

La *Homepage* est aussi appelée Page d'accueil

Ces commandes HTML vous font penser à des signes cabalistiques ? Ne vous affolez pas ! Nous allons expliquer tout cela d'ici peu. Assurez-vous d'avoir correctement saisi les caractères (<) et (>) et de n'avoir pas laissé d'espaces avant ces caractères, les commandes HTML, HEAD, BODY, H1 ou le slash (/).

3 Enregistrez le fichier et nommez-le main.htm.

L'élément H1 permet de créer un titre en caractères plus grands. Reportez-vous au chapitre 2 pour en savoir plus sur la façon d'utiliser ces titres.

Un moteur de recherche est un programme qui balaie le World Wide Web (grande toile mondiale) à la recherche des pages Web contenant les informations demandées par l'utilisateur (exemple Webcrawler, Exite). Le moteur de recherche ne repère que les mots contenus entre les balises <TITLE> et </TITLE> de chaque page. Assurez-vous donc d'entrer dans le titre de chacune de vos pages des mots adéquats. Il ne servirait à rien de créer un site que personne ne pourrait trouver en saisissant une requête dans un moteur de recherche.

Visualiser sa page Web

Le code HTML que vous avez saisi précédemment ne ressemble à rien dans la fenêtre de votre traitement de texte. Il est suffisant pourtant pour être interprété par un navigateur. Pour ouvrir le fichier dans votre navigateur, suivez les étapes ci dessous :

1 Lancez votre navigateur

2 Sélectionnez Fichier ➪ Consulter une page ou Fichier ➪ Ouvrir (avec Internet Explorer).

3 Saisissez la localisation du fichier dans la boîte de dialogue qui s'affiche (figure 1-1) ou cliquez sur Choisir le fichier (Netscape) ou Parcourir (Internet Explorer) afin de localiser le fichier sur votre disque dur.

Figure 1-1 Ouverture d'un fichier HTML avec Netscape Navigator.

Consulter une page
Entrez l'adresse World Wide Web (URL) ou spécifiez le fichier local que vous souhaitez ouvrir :
Choisir le fichier...
Ouvrir le fichier ou l'adresse dans : Composer / Navigator
Ouvrir | Annuler | Aide

4 Cliquez sur Ouvrir (Netscape) ou Ouvrir (Internet Explorer).

La figure 1-2 montre l'aspect d'un fichier HTML, une fois le programme ouvert dans un navigateur.

Figure 1-2 Votre page Web telle qu'elle apparaît dans Internet Explorer.

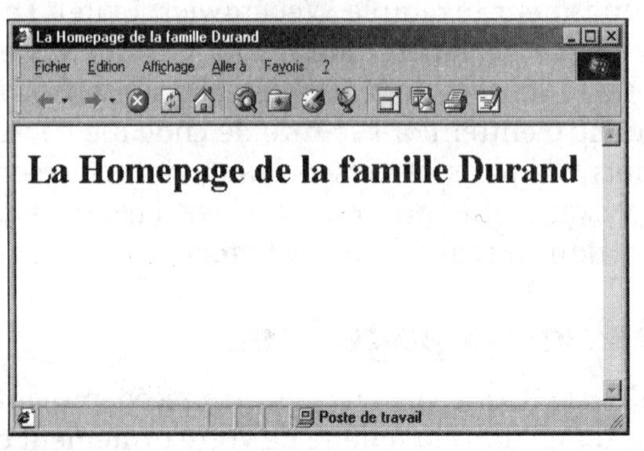

Vous pouvez garder le navigateur ouvert pendant l'édition du code HTML pour basculer de l'éditeur au navigateur. Cela vous permet de visualiser instantanément les effets des changements apportés au code source. N'oubliez pas d'enregistrer les modifications apportées au code HTML (commande Fichier ⇨ Enregistrer) ! Il ne vous reste plus qu'à basculer vers le navigateur et à cliquer sur Recharger (Netscape) ou Actualiser (Internet Explorer) afin de visualiser le résultat des changements apportés au code source.

Comprendre les éléments et les balises HTML

Le texte que vous avez saisi dans l'éditeur de texte est le code source de la page Web. Ce code source est composé d'instructions simples appelées des éléments. Chacun de ces éléments occupe une fonction particulière dans la description d'une partie du document.

Le navigateur Web interprète le code source, le HTML suggérant mais ne contrôlant pas l'interprétation. Pour vous assurer de la bonne présentation de vos pages Web, testez-les avec tous les navigateurs que vos visiteurs sont susceptibles d'utiliser.

Chaque élément possède une balise de début et souvent, mais pas toujours, une balise de fin. Les balises de début et de fin sont toujours identiques à l'exception du slash (/) qui précède la balise de fin. La balise comprend le nom de l'élément, qui décrit assez bien la fonction de celui-ci. Tout ce qui se situe entre la balise de début et celle de fin est appelé le contenu. Par exemple, l'élément suivant contient le nom de la page Web comme contenu :

```
<TITLE>La Homepage de la famille Durand</TITLE>
```

Ne pas confondre balise et élément ! L'élément contient tout, la balise de début, le contenu et la balise de fin.

Les balises sont toujours encadrées des symboles inférieur et supérieur (< et >), qui indiquent au navigateur que le texte situé à l'intérieur est une instruction et qu'il ne doit pas l'afficher à l'écran. Dans l'exemple de l'élément TITLE, le navigateur sait que le texte « La Homepage de la famille Durand » est le titre de la page Web et la seule partie de l'élément devant apparaître dans la barre de titre du navigateur.

Comprendre la notion d'emboîtement

Le HTML est fondé sur la notion d'emboîtement. À une exception près, chaque élément est contenu dans un autre. Regardez le code source de votre page Web :

```
<HTML>
<HEAD>
<TITLE>La Homepage de la famille Durand</TITLE>
</HEAD>
<BODY>
```

```
<H1>La Homepage de la famille Durand</H1>
</BODY>
</HTML>
```

Comme vous pouvez le voir, l'exception à la règle d'emboîtement est l'élément HTML. Il représente la limite extérieure, avant et après laquelle il ne s'agit plus du code source. Il englobe tous les autres éléments. L'élément HEAD comprend des informations non affichées dans la page Web (il s'agit ici du titre de la page créé par l'élément TITLE). L'élément BODY contient quant à lui tous les éléments visibles dans la page Web tel que l'élément H1.

Explorer les attributs

En plus du contenu, les éléments peuvent posséder des attributs. On les trouve toujours à l'intérieur de la balise de début de l'élément. Ils expliquent au navigateur comment traiter le contenu. Les attributs les plus communs permettent de définir la couleur, la hauteur, la largeur ou la position d'un fichier lié. Un attribut est associé à un élément HTML par le symbole égal (=) ainsi que par des guillemets, comme ceci :

```
<H1 align="center">La Homepage de la famille
Durand</H1>
```

Dans cet exemple, align est un attribut de l'élément H1 et "center" demande au navigateur de centrer le titre « La Homepage de la famille Durand ». Nous en verrons plus sur l'alignement des éléments de texte au chapitre 3.

Assurez-vous de ne pas laisser d'espaces superflus quand vous utilisez des attributs. Le navigateur risquerait de ne pas afficher correctement la page. L'attribut est séparé de l'élément par un seul espace. Il n'y a pas d'espace autour des guillemets ni du signe égal. Les guillemets sont composés de deux traits droits (comme le symbole de la seconde ou du pouce). Il s'agit des guillemets anglais et non de l'apostrophe utilisée par certains traitements de texte. Si vous utilisez le Bloc-notes comme éditeur HTML, le programme utilise automatiquement les bons guillemets.

On appelle, valeur d'un attribut, le terme qui suit le signe égal et est encadré par des guillemets. La valeur permet de paramétrer l'attribut. Par exemple, placer l'attribut `color` pour mettre le texte en rouge donne un résultat différent que le paramétrer en bleu.

Comme les éléments, les attributs possèdent des noms assez explicites. Par exemple, `bgcolor` est l'attribut de couleur d'arrière-plan, `width` règle la largeur d'un élément, `align` change l'alignement, *etc.*

Vous pouvez ajouter plusieurs attributs à un même élément en les séparant par un espace. Un exemple : le code HTML suivant permet de créer un séparateur horizontal (une ligne en travers de la page Web) représenté par l'élément `HR` :

```
<HR width="67%" size="6" align="center">
```

Comme vous l'avez sans doute remarqué, l'élément se limite à la balise de début. Le séparateur horizontal ne peut avoir de contenu et ne nécessite pas de balise de fin. La balise de début contient le nom de l'élément suivi des attributs de largeur, de taille (épaisseur de la ligne) et d'alignement. Cette ligne horizontale prend les deux tiers de la largeur de la page, fait six pixels d'épaisseur et est centrée sur la page.

En général les éléments sont en majuscules, tandis que les attributs sont en minuscules. Respectez la casse pour obtenir un code source limpide. Un coup d'œil vous suffira pour identifier les différentes parties du code. Mais ce n'est pas une obligation, le HTML ne différenciant pas les majuscules des minuscules.

Si vous ne précisez pas la valeur d'un attribut, le navigateur utilise sa valeur par défaut. Elles varient d'un élément à un autre. L'élément HR dépourvu d'attribut ressemble à ceci :

```
<HR>
```

Ici, la valeur par défaut de l'attribut `width` (la largeur de la ligne) pour l'élément `HR` est 100 % de la largeur de la page et la valeur par défaut de l'attribut `align` (l'alignement) est l'alignement centré. La valeur par défaut de l'attribut `size` (l'épaisseur de la ligne) n'est pas défini en HTML. Aussi le navigateur choisira-t-il lui-même une valeur. En résumé, ne spécifier aucun attribut pour l'élément `HR` revient à ceci :

```
<HR width="100%" align="center">
```

Comprendre les différents niveaux d'élément

Les éléments entraînant la création d'une nouvelle ligne dans une page Web sont appelés *éléments de bloc*. Les éléments ne créant pas de nouvelle ligne sont appelés des *éléments de ligne*. L'élément `P` (paragraphe), par exemple, est un élément de bloc, il commence un nouveau paragraphe et donc une nouvelle ligne. L'élément `I` (italique) transforme un texte en italique, il ne crée pas de nouvelle ligne et fait donc partie des éléments de ligne.

La plupart des éléments de ligne contenant du texte sont également appelés éléments de texte.

Combiner les éléments HTML

Si deux éléments HTML encadrent un objet (texte ou image), l'ordre des éléments n'a pas d'importance. Les deux lignes suivantes sont interprétées de la même façon par le navigateur :

```
<H1><I>Ceci est un titre de niveau -1</I></H1>
<I><H1>Ceci est un titre de niveau -1</H1></I>
```

Dans les deux cas, la phrase « Ceci est un titre de niveau -1 » est affichée en titre de niveau -1 et en italique. N'oubliez pas de conserver l'ordre d'ouverture et de fermeture des balises, c'est la seule chose qui importe. Voilà ce qu'il ne faut pas faire :

```
<H1><I>Ceci est un titre de niveau -1</H1></I>
```

Ce genre de saisie peut induire votre navigateur en erreur et entraîner un affichage erroné.

Passons aux choses sérieuses ! Vous avez créé la structure générale de votre document HTML ; dans le chapitre suivant, nous l'enrichirons de texte que nous mettrons en forme. Tout au long de cet ouvrage, nous manipulerons le code HTML pour obtenir la page Web de vos rêves ! Bien sûr certains programmes sont là pour vous faciliter la tâche, comme Microsoft FrontPage Express ou Adobe PageMill. Il est pourtant conseillé de rester maître de son code source afin de pouvoir le modifier sur commande.

Ajouter et manipuler du texte

2

Dans ce chapitre

- Ajouter du texte à vos pages Web
- Utiliser les éléments de titres
- Ajouter de la couleur au texte
- Paramétrer les éléments de ligne
- Changer la taille et le type de police
- Introduire des caractères spéciaux

Toutes les pages Web comportent du texte. Il est donc nécessaire de savoir ajouter et manipuler du texte à l'aide du HTML. Les éléments de titre, les éléments de bloc, permettent de paramétrer la taille de tout un bloc de texte. Les éléments de ligne, quant à eux, donnent son look à un bloc de texte ou à un caractère en particulier. Les notions d'éléments de bloc et d'éléments de ligne sont abordées au chapitre 1, jetez-y un coup d'œil si elles vous posent problème. Vous pouvez modifier la taille du texte, l'enrichir (gras, italique) ou changer la couleur. Le HTML vous permet même d'afficher des caractères ne figurant pas sur votre clavier.

Ajouter du texte à votre page Web

Vous souhaitez modifier les caractéristiques de votre texte ? Très bien, il vous faut tout d'abord un texte. Pour saisir du texte dans un document HTML, procédez de la même façon qu'avec un traitement de texte conventionnel (comme Microsoft Word). À quelques différences près...

Contrairement à votre traitement de texte habituel, le HTML n'interprète pas la pression sur la touche Entrée comme une fin de paragraphe. Le retour à la ligne qui s'affiche dans votre traitement de texte n'est pas interprété en tant que tel par le navigateur. C'est l'élément P qui sépare automatiquement les paragraphes par une ligne vide, comme le fait Word lorsque l'on appuie deux fois de suite sur la touche Entrée. Insérer une ligne entre les paragraphes ajoute à la lisibilité de l'ensemble.

Cela ne signifie pas que vous ne pouvez pas utiliser la touche Entrée en HTML ! Il est même conseillé de le faire pour obtenir un code plus limpide (comme nous l'avons fait dans l'exemple du chapitre 1) ! Sachez simplement que le navigateur ne tient pas compte des retours à la ligne effectués à l'aide de la touche Entrée.

L'élément P possède une balise de fin optionnelle. Vous pouvez terminer vos chapitres par </P>, mais ce n'est pas indispensable.

Vous souhaitez cependant insérer un espace vierge entre deux paragraphes (par exemple deux ou trois sauts de ligne entre deux paragraphes) ? L'élément P crée un seul saut de ligne. Vous désirez maintenant un espace plus important. Et si je créais un élément P vide ? vous demandez-vous. Mauvaise idée ! L'élément P requiert un contenu, les éléments P vides ne sont pas autorisés en HTML :

```
<P>Ceci est le premier paragraphe.

<P>Ceci est le second paragraphe.

<P>

<P>Ceci est le troisième paragraphe.
```

Le navigateur ignore la troisième ligne de ce code.

Le meilleur moyen est de donner un contenu invisible à l'élément P. Vous ne pouvez pas utiliser la barre d'espace ; utilisez donc le code suivant :

```
<P> 
```

Si vous n'avez besoin que d'un seul espace vierge, utilisez l'élément BR :

```
<BR> 
```

Si vous utilisez deux `<BR> ` cela revient à utiliser un `<P> `

N'oubliez pas le point virgule (fin de code de caractères); à la fin de ce code, sans lui, le navigateur afficherait ` ` dans votre page Web.

Quand vous insérez des éléments BR, vous terminez une ligne et en commencez une nouvelle. L'élément BR n'ajoute pas d'espaces vierges pour les deux navigateurs principaux que sont Netscape Navigator et Internet Explorer. Vous pouvez utiliser l'élément BR pour faire apparaître un mot à la ligne suivante sans pour autant créer un nouveau paragraphe.

Pour ajouter du texte à votre page Web, suivez les étapes ci-dessous :

1 Ouvrez votre document HTML (main.htm), saisissez les lignes suivantes sous l'élément H1 et avant la balise `</BODY>` (vous pouvez recopier votre texte exemple ou lui attribuer le votre).

```
<P>Bienvenue sur le site Web de la famille
Durand. Vous trouverez l'histoire de Samuel
et Alice Durand, ainsi que celle de leurs des-
cendants dans les pages suivantes. Les prin-
cipales sections de ce site sont décrites ci-
dessous.

<P>Cliquez sur les liens de la famille Durand
afin de visiter les sites Web d'autres
familles apparentés avec les Durand.

<P>Si vous avez de la parenté avec la famille
Durand, vous pouvez lister les membres de
votre famille dans le formulaire prévu à cet
effet sur la page Enregistrez votre famille.
```

2 Enregistrez le fichier en gardant le nom main.htm.

3 Affichez la page Web dans le navigateur.

La figure 2-1 vous montre le résultat. Maintenant que vous disposez de texte, nous avons matière à travailler !

Figure 2-1 Ajouter du texte à votre page Web.

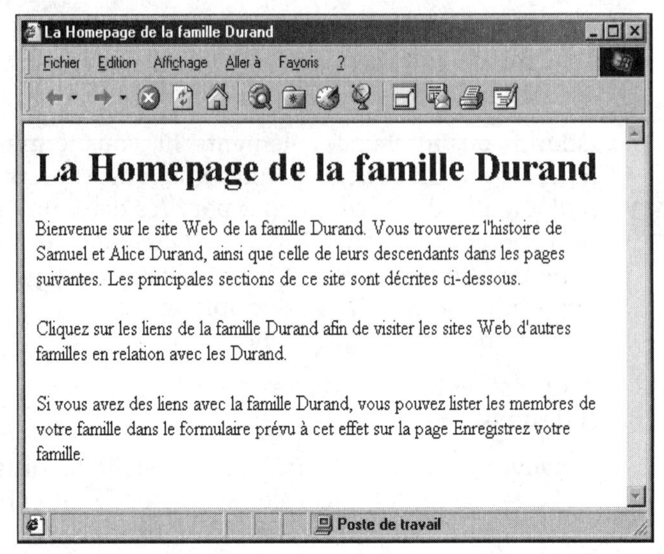

Utiliser des éléments de titres

Un *titre* est un fragment de texte en caractère gras ou mis en valeur par tout autre moyen permettant de le distinguer du reste du texte. Le titre permet de repérer facilement les parties importantes d'un texte.

En HTML, il existe six tailles différentes de titre. Les titres répondent à la dénomination `Hx`, `x` étant un chiffre compris entre 1 et 6. L'élément `H1` est le plus grand et `H6` le plus petit. Les éléments `H1` désignent en général le sujet principal d'une page, `H2` les sous-parties de `H1`, `H3` les sous-parties de `H2`, *etc.* On utilise rarement les niveaux `H4`, `H5` et `H6`.

Pour mieux comprendre le fonctionnement des éléments de titre, nous allons ajouter des titres `H2` à la page de la famille Durand :

1 Saisissez un nouveau sous-titre, **Les liens de la famille Durand**, au-dessus du paragraphe commençant ainsi « Cliquez sur les liens de la famille Durand... » et encadrez-le des balises <H2>...</H2> comme ci-dessous :

```
<H2>Les liens de la famille Durand</H2>
```

2 Saisissez un second sous-titre, Enregistrez votre famille, au-dessus du paragraphe commençant par « Si vous avez des liens avec la famille Durand... » et encadrez-le des balises <H2>...</H2> comme ci-dessous :

```
<H2>Enregistrez votre famille</H2>
```

Le code HTML devrait ressembler à ceci :

```
<HTML>
<HEAD>
<TITLE>La Homepage de la famille Durand
</TITLE>
</HEAD>
<BODY>
<H1>La Homepage de la famille Durand</H1>
<P>Bienvenue sur le site Web de la famille
Durand. Vous trouverez l'histoire de Samuel
et Alice Durand, ainsi que celle de leurs des-
cendants dans les pages suivantes. Les prin-
cipales sections de ce site sont décrites ci-
dessous.
<H2>Les liens de la famille Durand</H2>
<P>Cliquez sur les liens de la famille Durand
afin de visiter les sites Web d'autres
familles en relation avec les Durand.
<H2>Enregistrez votre famille</H2>
<P>Si vous avez de la parenté avec la famille
Durand, vous pouvez donner la liste des mem-
bres de votre famille dans le formulaire prévu
```

```
à cet effet sur la page Enregistrez votre
famille.
</BODY>
</HTML>
```

3 Enregistrez le fichier.

4 Affichez la page Web dans votre navigateur. La figure 2-2 vous montre le résultat.

Figure 2-2 Utilisation des éléments de titre.

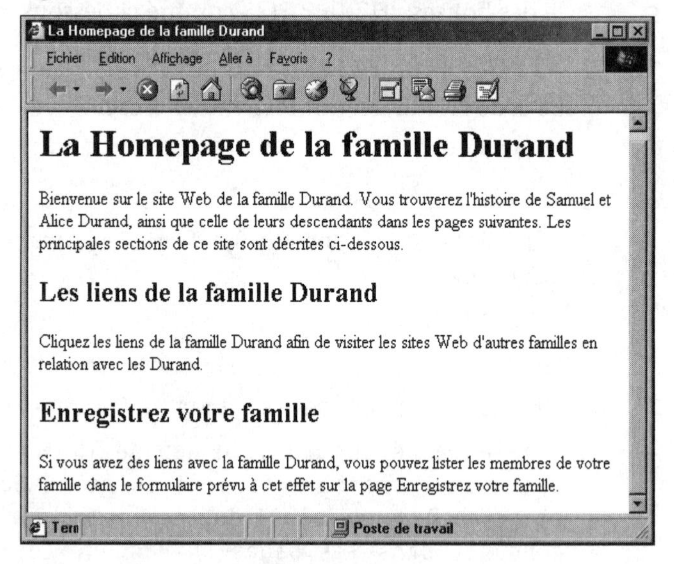

Donner des couleurs à votre texte

Par défaut, les pages Web affichent du texte noir sur fond blanc. Pour rendre votre site plus attrayant, donnez-lui des couleurs !

Vous pouvez spécifier une couleur par son nom ou par un code numérique en *hexadécimal (hex*, pour les intimes). Le code hexadécimal vous permet de choisir parmi plusieurs millions de couleurs (#FF0000 pour le rouge). Toutefois, mieux vaut limiter quelque peu sa palette lors de la création de sites Web. C'est pourquoi il est souvent inutile de s'embarrasser de code hexadécimal complexe, préférez les noms de couleur qui sont bien plus souples d'utilisation. Le tableau 2-1 vous donne quelques-uns des noms de couleur les plus courants.

Tableau 2-1 Noms de couleur en HTML

aqua	aquamarine	beige	black
blue	blueviolet	brown	cyan
green	greenyellow	hotpink	indianred
maroon	mediumblue	mediumpurple	mediumturquoise
mediumvioletred	midnightblue	navy	olive
pink	plum	powderblue	purple
red	royalblue	salmon	sandybrown
turquoise	violet	white	yellow

Le tableau 2-1 ne reprend que les couleurs les plus courantes, il n'a aucune prétention exhaustive. La liste des couleurs directement accessibles par leurs noms augmente au fur et à mesure de l'évolution du HTML. Un joli schéma présentant les correspondances couleur vous attend à l'adresse suivante www.inter-linked.com/colorchart.html.

La palette des couleurs possédant un nom devrait être suffisante. Vous n'avez pas à vous soucier de l'hexadécimal. Si vous ne trouvez pas votre bonheur dans les couleurs portant des noms, vous pouvez utiliser une pipette (comme dans PhotoShop) afin de choisir votre couleur *de visu* et en tirer le code hexadécimal. Il existe de nombreux logiciels *freeware* ou *shareware* proposant cette pipette.

Vous pouvez modifier la couleur de fond de votre page grâce à l'attribut `bgcolor`. Pour cela, ajoutez cet attribut à la balise `<BODY>` (veillez à séparer `BODY` et `bgcolor` d'un espace). Vous pouvez également modifier la couleur du titre ou du sous-titre ou d'un quelconque texte de votre page Web. Encadrez le texte des balises `<FONT>...</FONT>` et ajoutez l'attribut `color` à l'élément `FONT`.

Suivez les instructions ci-dessous pour changer les couleurs de fond, de titre et de sous-titre :

1 Modifiez l'élément BODY dans votre fichier HTML (main.htm) en ajoutant `bgcolor`, le signe égal (=) et le nom HTML de la couleur désirée, encadré de guillemets. Nous choisissons le beige pour notre site de démonstration. Voici le code correspondant :

```
<BODY bgcolor="beige">
```

2 Changez la couleur du titre de niveau -1 en encadrant le texte par les balises `HTML <FONT>...</FONT>` et en ajoutant l'attribut `color` à l'élément `FONT`. Nous allons attribuer la couleur rosybrown au texte, celle-ci se marie bien avec le fond beige. Voici le code après modification du titre en haut de la page Web :

```
<H1><FONT color="rosybrown">La Homepage de la
famille Durand</FONT></H1>
```

3 Répétez l'étape 2 pour le sous-titre. Une fois ceci fait, le code devrait ressembler à cela :

```
<H2><FONT color="rosybrown">Les liens de la
famille Durand</FONT></H2>
```

```
<H2><FONT color="rosybrown">Enregistrez
votre famille</FONT></H2>
```

La couleur d'un élément fait partie de ses attributs. Ainsi `bgcolor` est-il un attribut de l'élément `BODY` et il permet de paramétrer la couleur du fond d'écran. `Color` est un attribut des éléments `H1` et `FONT` et il permet de paramétrer la couleur du texte. Les couleurs (beige et rosybrown) sont des valeurs de leurs attributs respectifs.

4 Enregistrez le fichier.

5 Affichez la page dans le navigateur.

Bien que la figure 2-3 soit en noir et blanc, elle vous permet de vous faire une idée approximative du résultat.

Figure 2-3 Ajouter des couleurs au fond et aux textes des pages Web.

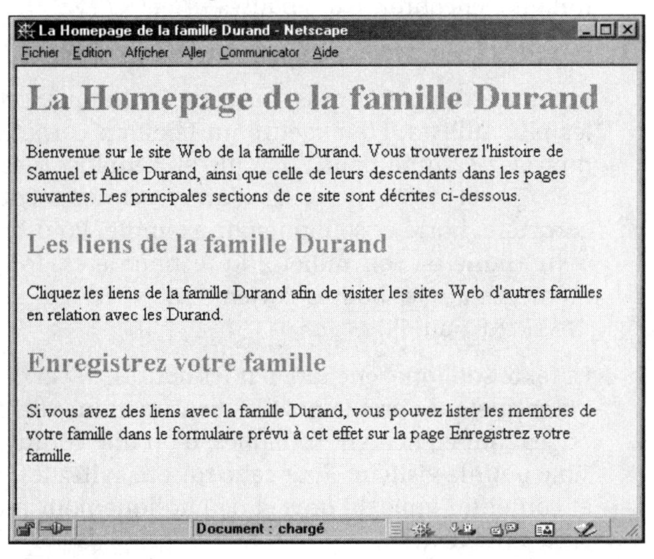

Pensez à choisir les couleurs de vos textes en fonction de la couleur du fond de la page. C'est un des points clefs pour obtenir un site à la fois lisible et esthétique. Veillez à choisir une couleur différente pour le fond et le texte, sans quoi vous risquez de faire disparaître ce dernier !

Rien ne vaut la pratique, essayez plusieurs couleurs de texte sur différentes teintes de fond.

Paramétrer les éléments de ligne

En HTML, il est possible d'utiliser plusieurs éléments de ligne pour définir vos polices. Il suffit d'encadrer le texte des balises correspondantes. Ainsi, pour mettre un mot en italique, encadrez-le des balises <I> et </I> :

```
<P>Voici du texte en <I>italique</I>
```

Le texte en caractère gras et le texte en italique sont parmi les plus utilisés. Pour mettre un texte en caractère gras, procédez comme pour l'italique et remplacez les balises par <B> et </B>. Il existe d'autres enrichissements de caractère, barré et souligné par exemple. Pour barrer un texte (ligne en son milieu), la technique est toujours la même, seules les balises deviennent : <STRIKE>... </STRIKE> ou <S>...</S>.

Le texte souligné, encadré par les balises <U> et </U> peut poser quelques problèmes : les liens menant vers d'autres pages sont également soulignés, d'où une confusion possible pour le visiteur. Pour cette raison, évitez les balises U et contentez-vous du gras et de l'italique pour mettre un texte en valeur.

Maintenant, modifions le code source afin d'ajouter un soupçon d'italique et une larme de caractère gras ! C'est simple, vous allez voir !

1 Dans le premier paragraphe, placez les balises <I>... </I> et <B>...</B> autour du texte de votre choix. Nous avons décidé d'encadrer le texte « le site Web de la famille Durand » des balises <I>...</I> et le texte « Samuel et Alice Durand » des balises <B>...</B>.

```
<P>Bienvenue sur <I>le site Web de la famille
Durand</I>. Vous trouverez l'histoire de
<B>Samuel et Alice Durand</B>, ainsi que
celle de leurs descendants dans les pages
```

```
suivantes. Les principales sections de ce
site sont décrites ci-dessous.
```

2 Enregistrez le fichier.

3 Affichez la page Web dans le navigateur (figure 2-4).

Figure 2-4 Les styles de texte en caractères gras et italique.

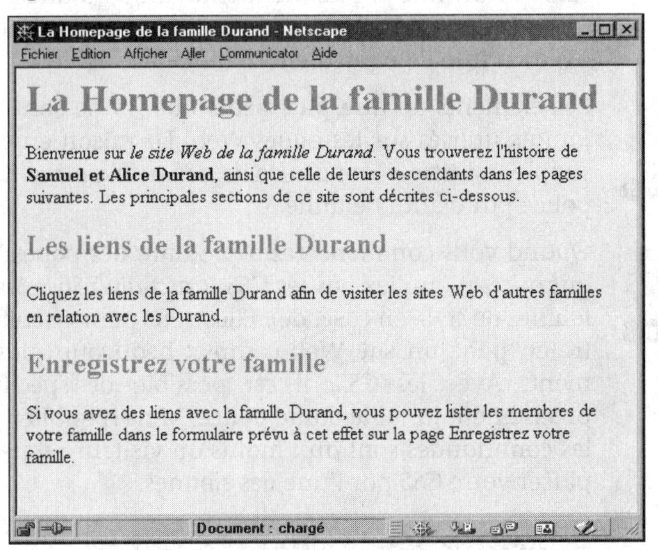

Il est inutile d'utiliser l'élément `B` sur un titre, car celui-ci est déjà en caractère gras. Ainsi, le code `<H1><B>Titre </B></H1>` produit un résultat similaire à celui-ci `<H1>Titre</H1>`.

Modifier la taille et le type de police

Nous savons utiliser l'élément `FONT` et maîtrisons l'art et la manière de jongler avec les couleurs. Nous allons maintenant changer de police et de taille de police grâce à l'élément `FONT`.

Comprendre les tailles de police

La taille d'un texte normal est arbitrairement fixé à 3 sur une échelle de 1 à 7. Les tailles de police fonctionnent exactement à l'inverse des tailles de titre, ainsi la plus petite police est de taille 1 alors que la plus grande est de taille 7. Un titre H1 est de même taille qu'une police de taille 6. La relation va ainsi du plus grand au plus petit avec un titre H6 équivalent à une police taille 1.

Les éléments de titre plus petits que H3 ne sont presque jamais utilisés sur les pages Web. La raison en est assez simple, un titre H4 ne contraste pas suffisamment avec la police par défaut de taille 3.

Quand vous commencerez à produire des pages Web en quantité, n'oubliez pas les CSS *(Cascading Style Sheets,* les feuilles de style en cascade). Elles vous permettent de mettre en page un site Web complet beaucoup plus facilement. Avec les CSS, il est possible de spécifier très précisément la taille d'une police. Mais n'oublier pas que les commandes sont aux mains du visiteur : il peut remplacer votre CSS par l'une des siennes.

Spécifier des tailles de police

En HTML, il existe deux façons de spécifier la taille d'une police. La première à l'aide d'un chiffre précis, la seconde relativement à la taille de la police par défaut. Avec la première technique, il suffit d'indiquer la taille de la police, alors qu'avec la deuxième, il faut indiquer un chiffre positif ou négatif représentant l'écart avec la taille de la police par défaut. Il existe une seconde méthode relative – à l'aide des éléments BIG et SMALL – que l'on n'utilise que très rarement, car elle présente l'inconvénient d'être plus compliquée que la méthode numérique. Voici un exemple de code utilisant les éléments BIG et SMALL :

```
<P>Ce texte est à la taille normale.

<P><FONT size="4">Ce texte est une taille plus
grand que la normale.</FONT>
```

```
<P><FONT size="+1">Celui-ci aussi.</FONT>
<P><BIG>Celui-ci également.</BIG>
```

Par défaut, toute police est de taille 3.

Il est également bon de savoir qu'une police n'est jamais supérieure à 7 ni inférieure à 1. Inutile d'essayer des valeurs relatives de +6 ou -7 : vous n'obtiendriez respectivement ni 9, ni -4.

Changer de police

On appelle police l'aspect général des caractères, la famille à laquelle ils appartiennent. Les polices les plus utilisées sur le Web sont Arial, Times New Roman et Courier. Elles font partie des polices les plus couramment installées sur les ordinateurs des internautes, qu'ils soient équipés de Windows, Mac OS ou UNIX.

Pour l'instant, tous les textes du site de la famille Durand sont en Times New Roman. Cette police fait partie de la famille des polices *serif*, caractérisées par une meilleure lisibilité des caractères.

À l'opposé de la famille serif, on trouve les polices *sans serif*. Les exemples les plus connus sont Arial, Helvetica, Verdana et Swiss. On utilise en général les polices serif pour les corps de texte et les sans serif pour les titres.

Il existe un autre type de police, les monospace. Les caractères de cette police sont tous de la même largeur, tout comme les caractères d'une vieille machine à écrire. Les polices monospace peuvent être serif ou sans serif.

Pour bien lire votre site, le visiteur doit disposer de la police spécifiée dans votre code HTML. Puisqu'il est impossible de connaître les polices disponibles sur l'ordinateur de votre visiteur, il est préférable d'en proposer plusieurs dans le code. Si le visiteur ne dispose d'aucune des polices spécifiées dans le code HTML, le navigateur choisit lui-même une police approchante. Si cette opération permet au visiteur de lire votre site, la mise en page s'en trouve bien souvent chamboulée…

Pour changer la police des titres sur le site de la famille Durand, suivez les étapes ci-dessous :

1 Encadrez le texte des balises `<FONT face>…</FONT>` ainsi que quelques attributs de l'élément `FONT` comme Arial, Helvetica, *etc.* Ajoutez un attribut de couleur (rosybrown) et votre code devrait ressembler à cela :

```
<H1><FONT color="rosybrown" face="Arial,
Helvetica, sans-serif">La Homepage de la
famille Durand</FONT></H1>
```

Le HTML considère un espace comme une fin de commande, aussi le trait d'union entre sans et serif est-il nécessaire.

2 Répétez l'étape 1 sur les deux sous-titres de votre page Web. Le code devrait être le suivant :

```
<H2><FONT color="rosybrown" face="Arial, Hel-
vetica, sans-serif">Les liens de la famille
Durand</FONT></H2>
```

```
<H2><FONT color="rosybrown" face="Arial, Hel-
vetica, sans-serif">Enregistrez votre
famille</FONT></H2>
```

Nous apprendrons à changer la taille des polices plus loin dans ce chapitre.

3 Enregistrez le fichier.

4 Affichez la page Web dans le navigateur (figure 2-5).

Figure 2-5 Changer de police.

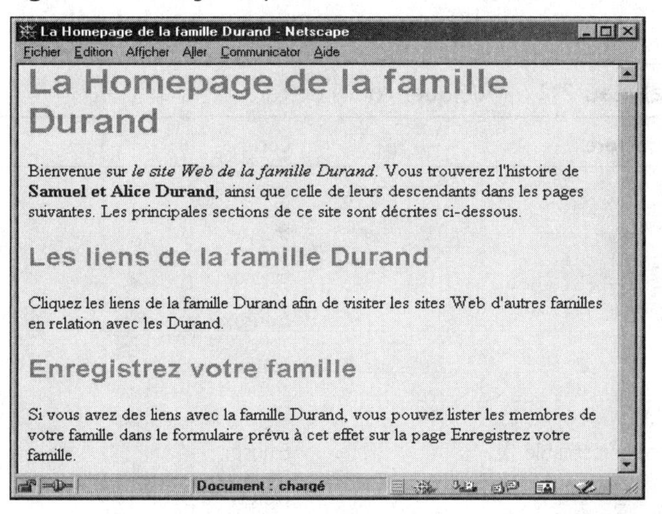

Insérer des caractères spéciaux

Les caractères spéciaux sont des caractères ne figurant pas sur le clavier, comme le symbole *copyright*. Ou bien supposons, par exemple, que vous ayez besoin d'afficher du code HTML sur votre page Web car vous avez l'intention d'y faire une démonstration de code HTML. Si vous saisissez le code HTML de façon normale, le navigateur du visiteur interprétera les balises au lieu de les afficher telle quelle. Il y a là un réel problème.

Heureusement, vous pouvez outrepasser la méthode de saisie des caractères normaux et utiliser des codes pour les caractères spéciaux, appelés référence de caractères.

Vous trouverez une liste complète des caractères spéciaux à l'adresse suivante `www.w3.org/TR/REC-html40/sgml/entities.html`.

Vous verrez qu'on y trouve à peu près tout et n'importe quoi. Des symboles musicaux aux idéogrammes chinois, tout le monde y trouve son bonheur. Le tableau 2-2 regroupe les caractères spéciaux les plus utilisés.

Tableau 2-2 Quelques codes de caractères spéciaux

Caractère	Code
%	¢
©	©
°	°
¤	€
>	>
<	<
Espace insécable	
±	±
£	£
®	®
Yen	¥

Pour afficher du code HTML au sein d'une page Web, il vous suffit d'utiliser le code HTML des symboles supérieur (`<`) et inférieur (`>`) en lieu et place des crochets < et >.

Vous pouvez utiliser le code `©` afin d'afficher le symbole du copyright (©) sur une page Web. Vous pouvez préférer mettre votre copyright en italique, insérez alors la balise <I>...</I>. Nous allons intégrer tout cela dans le site de la famille Durand :

1 Ajoutez les lignes suivantes entre le dernier paragraphe et la balise </BODY>

```
<P><I>&copy; 2020 Fondation Durand.</I>
```

2 Enregistrez le fichier.

3 Affichez la page Web dans le navigateur (figure 2-6).

Figure 2-6 L'insertion de la ligne de copyright.

La Homepage de la famille Durand - Netscape

Fichier Edition Afficher Aller Communicator Aide

La Homepage de la famille Durand

Bienvenue sur *le site Web de la famille Durand*. Vous trouverez l'histoire de **Samuel et Alice Durand**, ainsi que celle de leurs descendants dans les pages suivantes. Les principales sections de ce site sont décrites ci-dessous.

Les liens de la famille Durand

Cliquez les liens de la famille Durand afin de visiter les sites Web d'autres familles en relation avec les Durand.

Enregistrez votre famille

Si vous avez des liens avec la famille Durand, vous pouvez lister les membres de votre famille dans le formulaire prévu à cet effet sur la page Enregistrez votre famille.

© 2020 Fondation Durand.

Document : chargé

Le code du caractère doit être encadré par une esperluette (&) à gauche et un point virgule à droite. Ces symboles sont les équivalents des balises pour les caractères spéciaux. Ils permettent au navigateur de reconnaître les caractères spéciaux.

Changer la taille d'une police

Le navigateur du visiteur détermine la taille du corps de texte par défaut. Certains choisissent du Times New Roman 12 points, d'autres de l'Helvetica 10 points, *etc*.

Vous pouvez toutefois définir la taille du texte en l'encadrant des balises `<FONT size="n">…</FONT>`, n étant un entier. Vous pouvez également utiliser +1 ou -1 pour augmenter ou diminuer la taille du texte entre les balises. Diminuons légèrement la taille du copyright :

```
<P><I><FONT size="-1">&copy; 2020 Fondation
Durand.</FONT></I>
```

Comme vous le constatez, vous pouvez ne mettre en forme qu'un seul mot ou une seule phrase. De la même manière, vous pouvez mettre en forme un paragraphe entier en spécifiant l'alignement ou d'autres paramètres comme nous allons le voir dans le chapitre qui suit.

Mettre en forme 3

Dans ce chapitre

- Configurer l'alignement
- Ajouter des lignes horizontales
- Utiliser des listes

Outre les éléments de titre représentant un début de mise en page (chapitre 2), il en existe d'autres permettant d'embellir vos pages Web.

L'alignement des textes et des images, ainsi que les lignes de division horizontales sont deux des approches les plus répandues en matière de mise en page HTML. Les listes permettent en outre de mieux structurer les informations. Nous apprendrons à utiliser ces éléments au fil de ce chapitre.

Aligner des objets

Nombre d'éléments HTML possèdent l'attribut `align`, qui permet de contrôler l'alignement d'un objet dans une page Web. Toutefois, certains éléments, comme `IMG` (image), ne possèdent pas d'attribut d'alignement.

Vous pouvez utiliser cet attribut pour les éléments de texte (`H1`, `H2`, `H3`, `H4`, `H5`, `H6` et `P`) avec les valeurs `left` (gauche), `center` (centre), `right` (droite) et `justify` (justifié). Voici la description de toutes ces valeurs :

- Aligner un texte à gauche permet d'avoir une marge nette à gauche et une marge dentelée à droite.
- Centrer un texte crée une marge aussi importante à droite qu'à gauche de la ligne.
- Aligner un texte à droite permet d'avoir une marge nette à droite et une marge dentelée à gauche.

- Justifier un texte permet d'avoir des marges nettes des deux côtés.

Par défaut, tous les blocs de texte sont alignés à gauche. Si un élément de texte est affecté d'un autre alignement, vous pouvez l'aligner à gauche, en spécifiant à son attribut `align` une valeur à gauche ou en supprimant complètement l'attribut `align`.

Afin de pratiquer les techniques d'alignements, nous allons ajouter une page Web au site de la famille Durand :

1 Ouvrez l'éditeur de texte.

2 Saisissez le code suivant :

```
<HTML>
<HEAD>
<TITLE>Les liens de la familles Durand
</TITLE>
</HEAD>
<BODY bgcolor="beige">
<H1 align="center"><FONT color="rosybrown"
face="Arial, Helvetica, sans-serif">Les liens
de la famille Durand</FONT></H1>
<P><I>Il en est des générations des hommes
ainsi que des feuilles sur les arbres.</I>
<BR>- Dicton populaire
<P align="justify">Les descendants de Sam et
Alice Durand sont éparpillés dans toute la
France. Faites-vous partie de l'une des bran-
ches de la famille ? Les liens ci-dessous
mènent à nos recherches généalogiques.
<P>La Homepage de la famille Dupont
<P>La Homepage de la famille Fournier
<P>La Homepage de la famille Calu
</BODY>
</HTML>
```

3 Enregistrez le fichier en tant que `links.htm`.

4 Affichez la page Web dans le navigateur (figure 3-1).

Figure 3-1 La deuxième page du site Web.

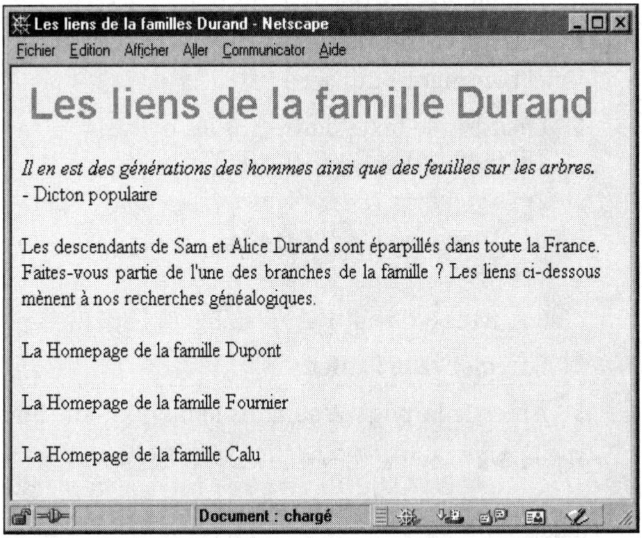

L'exemple précédent utilise la balise de saut de ligne `<BR>`. Celle-ci est employée à la place de `<P>` avant une ligne de texte pour la séparer de la ligne précédente sans insérer d'espace entre deux lignes. Regardez la figure 3.1 et voyez comment les textes sont justifiés. Supprimez alors le `align="justify"` de la balise `<P>` pour constater la différence.

Essayez tous les types de mise en page pour visualiser les résultats.

L'alignement d'objets situés à l'intérieur d'un tableau est un peu plus compliqué. Référez-vous au chapitre 6 pour en savoir plus à ce sujet. Quant à l'alignement d'image, nous l'aborderons au chapitre 4.

L'élément BLOCKQUOTE

Cet élément peut s'avérer particulièrement utile. En effet, tout texte encadré par un élément BLOCKQUOTE est automatiquement décalé par rapport aux bords gauche et droit de la page Web.

Voici comment l'utiliser :

1 Encadrez le texte désiré par les balises <BLOCKQUOTE>...</BLOCKQUOTE> :

```
<BLOCKQUOTE><P><I>Il en est des générations
des hommes ainsi que des feuilles sur les
arbres.</I>
<BR>- Dicton populaire </BLOCKQUOTE>
```

2 Enregistrez le fichier.

3 Affichez la page Web dans le navigateur (figure 3-2).

Figure 3-2 Comme vous le voyez, le texte encadré par l'élément BLOCKQUOTE est décalé par rapport au reste du texte.

L'élément CENTER

C'est l'un des éléments les plus simples et les plus utiles de tout le HTML. En encadrant un texte ou une image d'une page Web par `<CENTER>...</CENTER>`, vous pouvez centrer un ou plusieurs éléments en même temps.

Pour mieux comprendre le fonctionnement de l'élément `CENTER`, remplacez `<BLOCKQUOTE>...</BLOCKQUOTE>` par `<CENTER>...</CENTER>`. Votre code devrait donner ceci :

```
<CENTER><P><I>Il en est des générations des
hommes ainsi que des feuilles sur les arbres.
</I>

<BR>- Dicton populaire</CENTER>
```

La figure 3-3 illustre le résultat.

Figure 3-3 Centrer des objets dans une page Web.

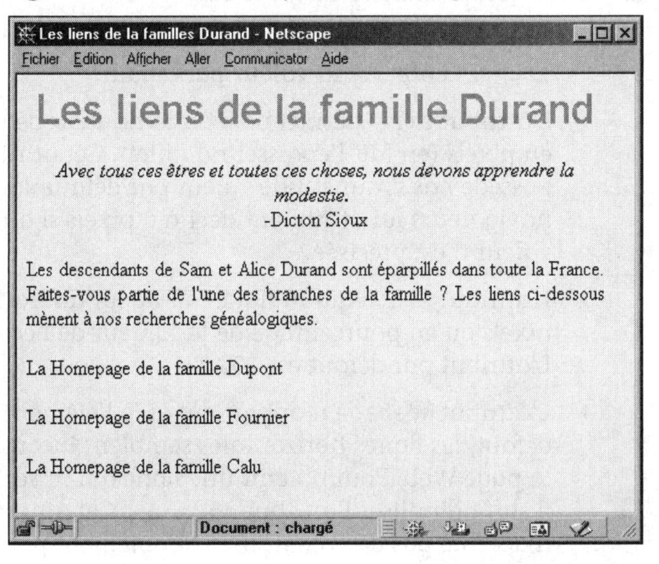

Diviser la page à l'aide de séparateurs horizontaux

L'élément HR *(horizontal rule,* séparateur horizontal*)* permet de diviser une page horizontalement à l'aide d'une ligne appelée aussi « filet ». C'est exactement comme si vous tiriez des traits pour séparer deux sections de texte.

Les lignes horizontales possèdent quatre attributs : `align, noshade, size` et `width`. Le nom de l'attribut `size` (taille) n'est pas très heureux : il aurait mieux valu le nommer `height` (épaisseur).

Internet Explorer accepte l'attribut `color` pour l'élément HR, mais Netscape Navigator continue de l'ignorer.

Détaillons les différents attributs :

- L'attribut `align` accepte les valeurs `left`, `center` et `right`. Center est la valeur par défaut.
- L'attribut `size` permet de fixer la hauteur de la ligne en pixels (en fait l'épaisseur du filet). Cet attribut ne possède pas vraiment de valeur par défaut, les navigateurs lui attribuent de 4 à 6 pixels si aucune valeur n'est précisée.
- L'attribut `width` qui indique la largeur du trait en pixels ou en pourcentage de la largeur de l'écran. L'attribut par défaut est 100 %.
- L'attribut `noshade` n'appartient qu'à l'élément `HR`. Par défaut, les lignes horizontales semblent incorporées à la page Web. Pour obtenir une ligne qui ressorte plus, il suffit d'utiliser l'attribut `noshade`. Cet attribut n'accepte pas de valeur, il est simplement présent ou non.

  Par défaut, la ligne introduite par l'élément `<HR>` s'étend sur toute la largeur de la page. Vous pouvez toutefois la réduire à un certain pourcentage de la largeur de la page. Voici comment procéder pour ajouter un séparateur sur une page Web :

1 Placez la balise `<HR width="xx%">` là où vous souhaitez un séparateur horizontal (vous devez remplacer xx par le pourcentage de votre choix). Par exemple, encadrons la citation avec la balise `<HR>` et donnons une valeur de 50 % à l'attribut `width`. Voici le code correspondant :

```
<CENTER>
<HR width="50%">
<P><I>Il en est des générations des hommes
ainsi que des feuilles sur les arbres.</I>
<BR>- Dicton populaire
<HR width="50%">
<BR>
</CENTER>
```

2 Enregistrez le fichier.

3 Affichez la page Web dans le navigateur (figure 3-4).

Figure 3-4 Utilisation de l'élément HR.

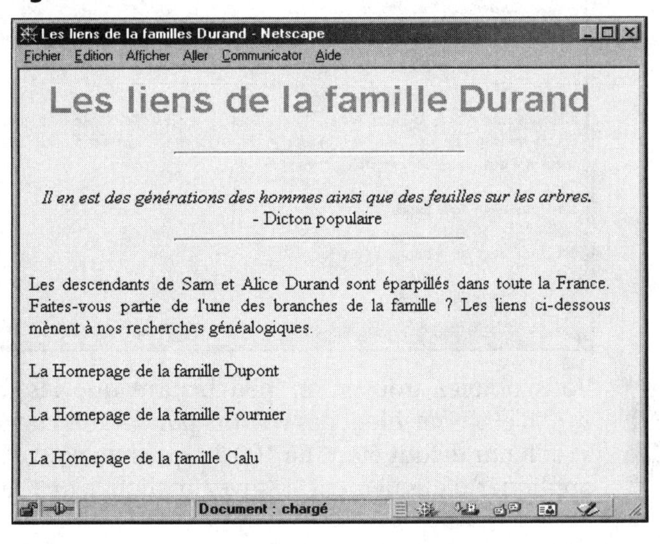

Vous voulez centrer la citation verticalement par rapport aux séparateurs horizontaux ? Insérez un élément <P> dans votre code source :

```
<CENTER>

<HR width="50%">

<P><I>Il en est des générations des hommes ainsi
que des feuilles sur les arbres.</I>

<BR>- Dicton populaire

<P>

<HR width="50%">

</CENTER>
```

La figure 3-5 illustre le résultat.

Figure 3-5 Utilisez <P> pour ajouter un espace vierge sur votre page Web.

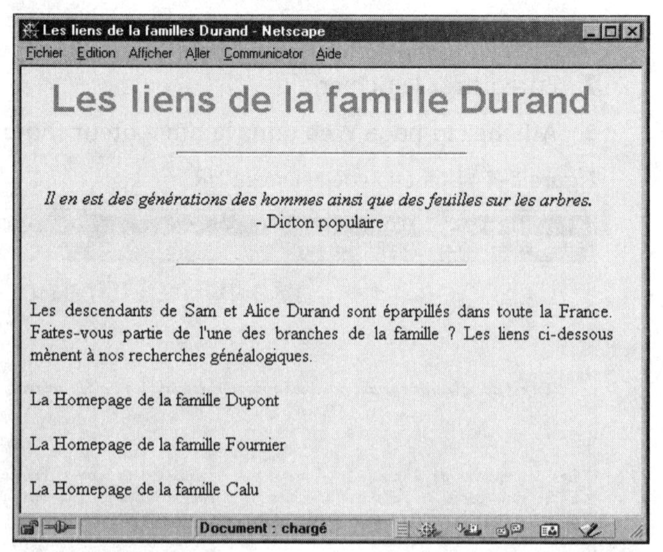

Vous pouvez trouver un peu bizarre que les attributs `width` et `align` aient des valeurs par défaut. La valeur de `width` par défaut étant de 100 %, vous ne pouvez pas lui appliquer d'alignement. Essayez d'aligner une ligne qui occupe toute la largeur de l'écran, cela n'a pas de sens ! Ce n'est que si la valeur de `width` est inférieure à 100 % que l'attribut `align` prend une signification.

Il est courant d'utiliser des images en guise de séparateur. Rendez-vous au chapitre 4 pour plus d'informations.

Utiliser des listes

Les deux principaux types de listes HTML sont les listes ordonnées et les listes non ordonnées. Les listes ordonnées sont également appelées listes numérotées, alors que les listes non ordonnées sont plus souvent appelées listes à puces. Les premières utilisent des numéros (ou des lettres) alors que les seconds sont introduits par des puces.

Les deux types de listes sont structurés de la même façon et utilisent l'élément LI. Cet élément possède une balise de fin optionnelle.

Créer une liste non ordonnée

Dans une liste non ordonnée, il est possible de définir l'aspect des puces à l'aide d'éléments types et des valeurs suivantes :

- `disc` : pour créer un cercle plein (ceci est la valeur par défaut).
- `circle` : pour créer un cercle vide.
- `square` : pour créer une puce rectangulaire pleine.

D'après les standards HTML, la puce rectangulaire est sensée être vide, mais la plupart des navigateurs l'affichent pleine.

Nous allons ajouter quelques puces au site Web de la famille Durand :

1 Encadrez les objets figurant dans la liste par les balises <UL>...</UL>. Le code de cet exemple est le suivant :

```
<UL>
<P>La Homepage de la famille Dupont
<P>La Homepage de la famille Fournier
<P>La Homepage de la famille Calu
</UL>
```

2 Ajoutez la balise <LI> devant chaque élément de la liste. Pour cela, supprimez les balises <P> :

```
<UL>
<LI>La Homepage de la famille Dupont
<LI>La Homepage de la famille Fournier
<LI>La Homepage de la famille Calu
</UL>
```

3 Enregistrez le fichier.

4 Affichez la page Web dans le navigateur (figure 3-6).

Figure 3-6 Une liste à puces.

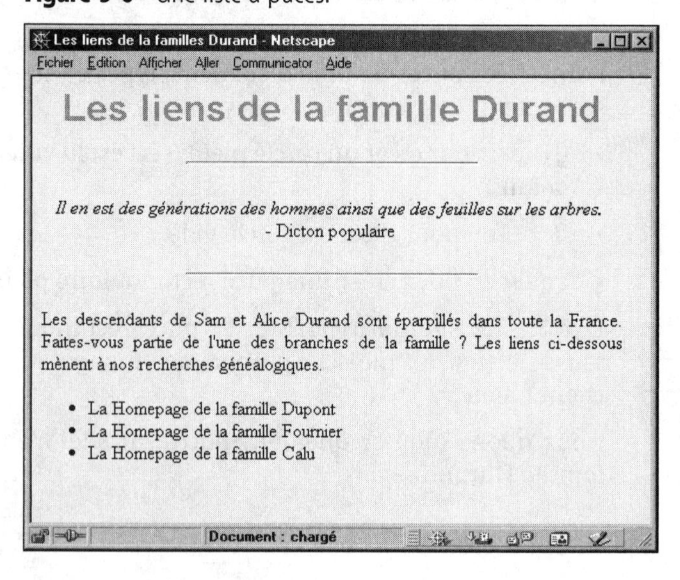

Créer une liste numérotée

Pour une liste numérotée, vous pouvez changer le style des numéros de la liste en fonction de la valeur attribuée à l'attribut `type`. Vous pouvez choisir entre chiffres arabes, chiffres romains ou lettres. Le tableau 3-1 recense les différentes valeurs possibles.

Tableau 3-1 Différentes valeur de l'attribut type pour une liste numérotée

Valeur	Résultat
1	Chiffres arabes
I	Chiffres romains majuscules
i	Chiffres romains minuscules
A	Lettres majuscules
a	Lettres minuscules

Il existe deux attributs supplémentaires pour les listes numérotées : `start` et `value`. Par défaut, le premier élément porte le numéro 1 (ou A, a, *etc.*). L'attribut `start` permet de changer la valeur de départ de la liste numérotée (vous pouvez démarrer une liste numérotée au chiffre 5, V ou à la lettre E, par exemple).

L'attribut `value` fonctionne de la même façon, mais il permet de changer la valeur d'un seul des objets qui compose la liste.

La procédure de création d'une liste numérotée est la même que celle d'une liste à puces, il suffit de remplacer `<UL>...</UL>` par `<OL>...</OL>`.

Ajouter des images 4

Dans ce chapitre

- Récupérer des images
- Insérer des images
- Aligner des images
- Utiliser des images d'arrière-plan

Les images représentent un atout considérable pour l'aspect une page Web. Elles permettent de rompre avec la monotonie des blocs de texte, agrémentent, informent… Manipuler et intégrer une image ? Rien de plus simple !

On trouve trois grands formats d'image sur le Web : le GIF *(Graphics Interchange Format)*, le JPEG ou JPG *(Joint Photographic Experts Group)* et le PNG *(Portable Network Graphics)*. Ces trois formats sont reconnus par tous les navigateurs, les autres en revanche ne le sont pas toujours. Mieux vaut être prudent et utiliser les formats compatibles à 100%.

Vos images ne sont pas au bon format ? Convertissez-les avec un programme d'édition graphique. Profitez-en pour diminuer la taille des images si besoin est. Il existe de nombreux sharewares disponibles sur Internet, comme Paint Shop Pro (`www.jasc.com`) pour Windows.

Se procurer des images

Il existe une multitude de sites Internet proposant des images qui agrémenteront agréablement votre site Web.

Placez vos fichiers image dans le même dossier que vos pages Web.

Les images que vous trouvez sur Internet possèdent peut-être un copyright. Certaines sont limitées à l'usage personnel, il est donc interdit de les afficher sur un site commercial. Vous pouvez utiliser ces images sur votre site tant qu'il n'a aucune fin commerciale. Parfois, les graphistes réclament un droit assez faible. Dans ce cas, vous pouvez télécharger ces images, les essayer et, si vous désirez les garder, acquitter ce droit. Lisez bien les conditions d'utilisation de ces images.

Si vous souhaitez utiliser les images d'un ami ou d'une personne qui vous en a donné la permission, téléchargez-les sur votre disque dur plutôt que de les utiliser directement à partir du site d'origine.

Insérer des images

Rien de plus simple ! Il suffit de connaître l'élément `IMG` et le seul attribut qui lui est indispensable : le `src` (source ou localisation du fichier image) du fichier de l'image.

L'élément `IMG` étant un élément de ligne, rien ne vous empêche de le placer en plein milieu d'une phrase si vous le désirez. Cependant, ce n'est pas une très bonne idée. Les images étant le plus souvent plus hautes que le texte, il s'ensuit un décalage qui affecte la lecture du texte.

Voici comment ajouter une image à la Homepage (page d'accueil) de la famille Durand :

1 Ouvrez le fichier main.htm dans l'éditeur de texte.

2 Saisissez le code suivant sous le titrage de la page :

```
<IMG src="sam-alice.jpg">
```

Cette balise indique au navigateur quelle image il doit insérer. N'oubliez pas de remplacer le nom du fichier entre guillemets par celui de votre fichier image.

3 Enregistrez le fichier en conservant le nom `main.htm`.

4 Affichez la page Web dans le navigateur (figure 4-1).

Figure 4-1 Insérer des images.

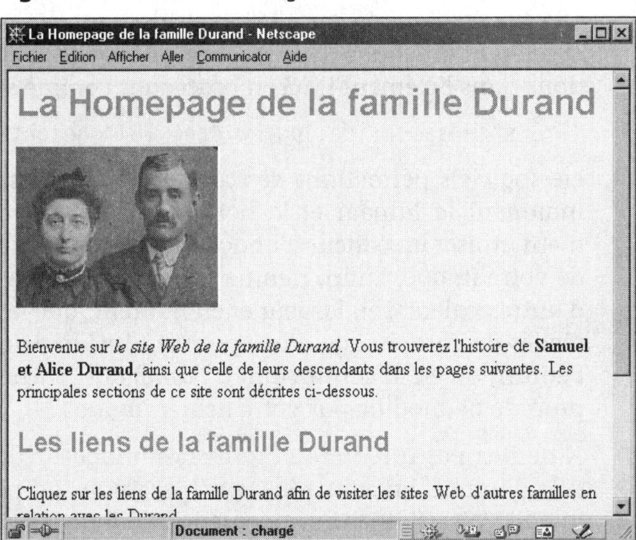

Si le fichier de l'image n'est pas situé dans le même dossier que le fichier HTML, vous devez en préciser le chemin d'accès au sein même de l'attribut `src`. Il serait plus sage de conserver les fichiers image dans le même dossier que le fichier source. Notez que la balise `<IMG>` ne possède pas de balise de fin.

Spécifier la largeur et la hauteur d'une image

Bien que cela ne soit pas indispensable, il est conseillé de préciser la largeur et la hauteur de chaque image grâce aux attributs `width` et `height`. La valeur de ces attributs indique en pixels la hauteur et la largeur de l'image. Le navigateur est capable d'afficher les images correctement sans ces informations, mais les préciser augmente sensiblement la rapidité d'affichage d'une page Web. Pour connaître la hauteur et la largeur d'une image, il suffit de la charger dans un navigateur : ces informations apparaissent dans la barre de titre.

Dans le cas de la photo de la famille Durand, l'image fait 184 pixels de large sur 136 pixels de haut. Vous pouvez accélérer l'affichage de la page en précisant ces informations dans l'élément IMG en procédant comme suit :

```
<IMG src="sam-alice.jpg" width="184" height="136">
```

Les logiciels permettant de scanner des images vous en indiquent la largeur et la hauteur. Vous pouvez également utiliser un éditeur d'image afin de connaître la taille de votre image. Enfin, rien ne vous empêche de spécifier d'autres valeurs, en largeur et en hauteur, que les valeurs réelles de votre image. Vous pouvez ainsi la déformer en l'étirant ou en la contractant à l'affichage. Sachez que ce procédé ne modifie pas votre fichier image .

N'hésitez pas à réduire la taille des images avec un éditeur d'image. En effet, plus le fichier image est petit, plus la page Web s'affiche rapidement. N'oubliez pas de diminuer proportionnellement la largeur et la hauteur de votre image si vous souhaitez en conserver les proportions. Pour finir, sauvegardez la nouvelle image sous un nom différent du fichier original pour revenir en arrière si vous le souhaitez.

Paramétrer les bordures

Par défaut, une image ne possède pas de bordures. Une image sans bordure peut sembler « flotter » dans la page, mais cela peut être votre intention. Vous pouvez ajouter une bordure, pour mettre en valeur l'image, par exemple.

Pour cela, il existe l'attribut `border` qui accepte des valeurs numériques correspondant à l'épaisseur de la bordure en pixels. Voici comment ajouter une bordure à une image :

1 Ajoutez l'attribut `border="x"` à l'élément `IMG` (x étant une valeur numérique). Nous définirons une bordure d'une épaisseur de 2 pour l'exemple.

```
<IMG src="sam-alice.jpg" width="184"
height="136" border="2">
```

2 Enregistrez le fichier.

3 Affichez la page Web dans le navigateur.
La figure 4-2 illustre le résultat.

Figure 4-2 Ajouter une bordure à une image.

Saisir un texte de remplacement

Il est parfois utile de disposer d'un texte de remplacement pour chaque image. Si l'image ne s'affiche pas correctement, le texte informe les visiteurs du contenu de l'image.

Pour cela, vous devez connaître l'utilisation de l'élément `alt`. Il vous permet de définir le texte de remplacement qui apparaîtra en lieu et place de l'image. Cet attribut ne possède comme valeur que le texte que vous souhaitez afficher :

```
<IMG src="sam-alice.jpg" width ="184"
height="136" border="2" alt="Portrait
de Sam et Alice Durand">
```

La figure 4-3 illustre ce qui se passe en cas de problème d'affichage de l'image lorsque le curseur passe sur l'emplacement de l'image.

Figure 4-3 Un texte de remplacement informe du contenu d'une image en cas de problème d'affichage.

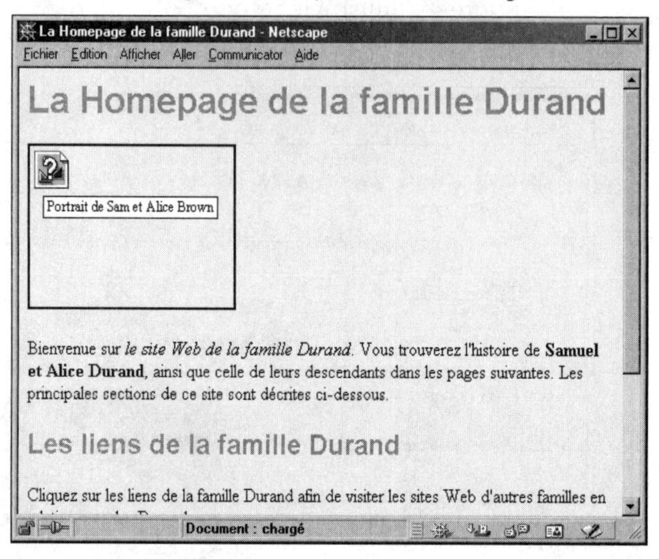

Utiliser des images avec des fonds transparents

Une image avec fond transparent est une image GIF qui semble dénuée de fond mais possède en réalité un arrière-plan transparent. Ce procédé permet d'intégrer l'image sur une page Web possédant elle-même un fond, l'arrière-plan de la page Web se fondant avec celui de l'image. Pour créer de telles images, vous devez posséder un programme d'édition graphique tel que Paint Shop Pro (`www.jasc.com`).

La création de telles images n'est pas du ressort du HTML et sort donc du cadre de cet ouvrage. Sachez toutefois que leur intégration dans une page Web est identique à celle d'une image standard.

Nous allons maintenant placer une image de ligne (c'est-à-dire une image insérée dans une ligne de texte) dans la Homepage de la famille Calu :

1 Ouvrez la page `links.htm` dans un éditeur de texte.

2 Placez la balise suivante juste avant les mots La Homepage de la famille Calu :

```
<LI><IMG src="Nouveau.gif">La Homepage
de la famille Calu
```

Ce code permet d'afficher l'image Nouveau.gif juste avant le texte La Homepage de la famille Calu.

3 Enregistrez le fichier et affichez le résultat dans le navigateur. La figure 4-4 illustre le résultat.

Figure 4-4 Ajout d'une image au milieu d'une ligne de texte.

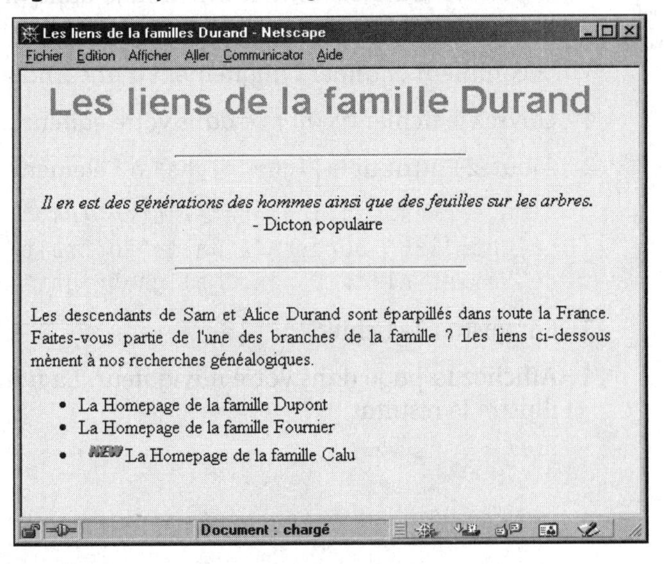

Aligner des images

L'alignement d'images n'est pas chose facile. L'attribut `align` de l'élément `IMG` dispose de cinq valeurs standard : `bottom` (en dessous), `middle` (au milieu), `top` (au-dessus), `left` (gauche) et `right` (droite). Les trois premières ne jouent aucun rôle dans l'alignement des images, elles permettent d'aligner la base d'un texte (ou de tout autre élément) par rapport à l'image (`bottom` est la valeur par défaut).

Les valeurs `align="left"` et `align="right"` permettent de disposer l'image contre la marge de gauche ou la marge de droite. Les effets de l'application de ces valeurs peuvent paraître un peu bizarres. En effet, l'image va se déplacer de son emplacement original pour se coller contre la marge de gauche ou de droite. On dit que c'est une image flottante. Le texte se placera autour d'elle, on parle alors d'habillage.

La valeur `center` n'est pas acceptée par l'attribut `align`. Vous pouvez toutefois centrer une image dans une page Web en la plaçant à l'intérieur d'un élément `CENTER`.

Voici comment changer l'alignement d'une image :

1 Ouvrez le fichier `main.htm` dans votre éditeur de texte.

2 Ajoutez l'attribut `align="right"` à l'élément `IMG` :

```
<IMG src="sam-alice.jpg" width="184"
height="136" border="2" alt="Portrait
de Sam et Alice Durand" align="right">
```

3 Enregistrez le fichier.

4 Affichez la page dans votre navigateur. La figure 4-5 illustre le résultat.

Figure 4-5 Aligner une image à droite de la page.

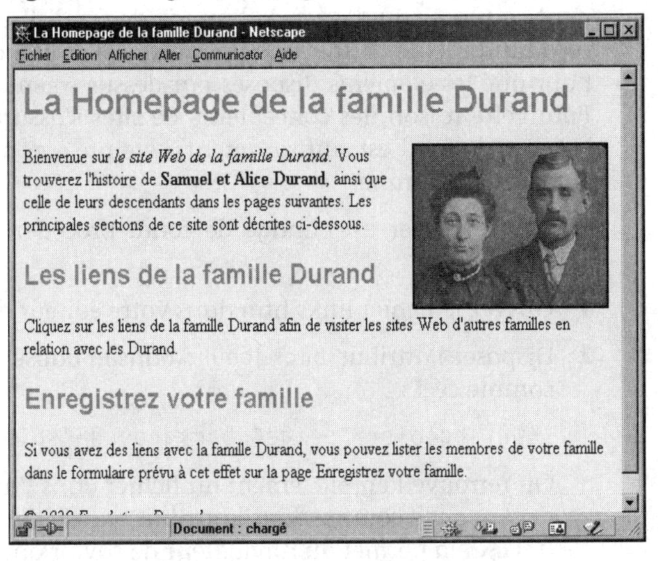

Comme vous pouvez le remarquer, l'image est alignée par rapport à la marge droite de la page et le texte habille l'image.

Utiliser des images de fond

Le principe de l'image de fond est légèrement différent de celui de l'image normale. On n'utilise pas l'élément `IMG`, mais un attribut de l'élément `BODY` (l'attribut `background`). Du fait de sa nature d'attribut, il n'accepte qu'une valeur, celle qui indique l'emplacement du fichier image.

L'attribut `background` est similaire à l'attribut `bgcolor` vu dans le chapitre 2, à ceci près que vous lui définissez une image et non une couleur.

L'attribut `background` se comporte différemment des autres images. Alors qu'une image normale reste à l'endroit où vous la placez, une image de fond se répète de façon à couvrir tout l'arrière-plan de la page Web.

Les autres éléments de la page (texte, images, *etc.*) viennent se placer au-dessus de l'image de fond. Il est donc recommandé de choisir une image claire et peu chargée pour que les éléments disposés par-dessus soient lisibles. Pour cette raison, les concepteurs de sites s'assurent que l'image de fond est suffisamment « éteinte » et apparaît comme en filigrane.

Pour paramétrer une image de fond, procédez comme suit :

1 Ouvrez le fichier links.htm dans votre éditeur de texte.

2 Disposez l'attribut `background` dans la balise `<BODY>` comme ceci :

```
<BODY bgcolor="beige" background="ship.gif">
```

On retrouve l'emplacement du fichier dans l'attribut `background` comme dans l'attribut `src` de l'élément IMG. Cela permet au navigateur de savoir quelle image afficher.

3 Enregistrez le fichier.

4 Affichez la page Web dans le navigateur.
La figure 4-6 illustre le résultat.

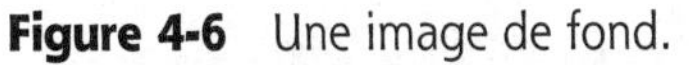

Figure 4-6 Une image de fond.

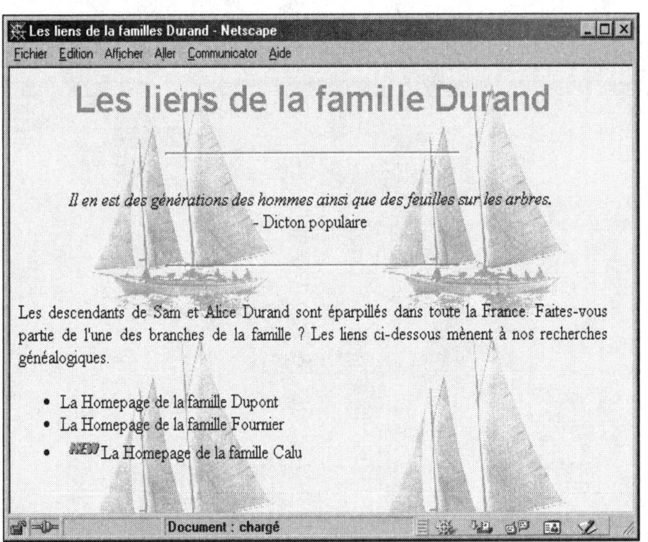

Comme vous le constatez, l'image d'arrière-plan donne un peu de vie à la page Web sans nuire à la lisibilité du texte.

Après cette incursion dans les images sans lesquelles un site est indigne de ce nom, nous allons créer des liens (texte ou image) vers d'autres pages Web.

Les liens 5

Dans ce chapitre

- Comprendre les URL
- Créer des liens
- Paramétrer les couleurs d'un lien
- Utiliser des ancres
- Créer des liens vers une messagerie électronique

Les liens ont donné à Internet le visage qu'on lui connaît. Sans eux, le World Wide Web ne serait qu'une collection de pages complètement indépendantes les unes des autres. Grâce aux liens, le Net est le plus grand document jamais conçu.

Comprendre les URL

On peut comparer un navigateur à un facteur. Pour déposer un courrier dans une boîte aux lettres, le facteur lit l'adresse inscrite sur l'enveloppe. Il en est de même pour votre navigateur : pour afficher une page Web, le navigateur doit connaître l'adresse du serveur Web (un ordinateur relié à Internet) contenant cette page Web.

Les adresses Internet sont appelées des URL *(Uniform Resource Locators)*. Par exemple, l'adresse suivante `http://www.exemple.com/livres/contenu/pageweb.htm` est composée de quatre parties :

- Le protocole de communication : `http://` (dans le cas d'un serveur Web).
- L'adresse du serveur Web : `www.exemple.com`.
- Le chemin d'accès au fichier sur l'ordinateur distant : `/livres/contenu/`.
- Le nom du fichier : `pageweb.htm`.

La troisième partie (le chemin d'accès) reste bien souvent inutilisée, la plupart des sites Web contenant le fichier HTML en racine du serveur Web. Par exemple, l'URL suivant ne comprend que le protocole de communication, l'adresse du serveur et le nom du fichier HTML :

```
http://www.exemple.com/index.htm
```

Étant donné que le nom de fichier index.htm est utilisé par la plupart des serveurs Web, il n'est plus utile de le spécifier, l'URL devient alors

```
http://www.exemple.com
```

On appelle ces URL des URL absolus. Ils comportent toutes les informations nécessaires pour trouver un fichier sur le Web. Toutefois, quand vous créez un lien entre deux pages d'un même site Web, la totalité de ces informations n'est pas nécessaire. Vous utilisez alors une adresse dite relative : `monresume.html` au lieu de `http://www.exemple.com/monresume.html`, dans notre exemple à condition que tous les fichiers se trouvent dans le même dossier. Comprenant qu'il s'agit d'un fichier local, le navigateur le trouve automatiquement. Si votre fichier ne se trouve pas dans le même dossier, n'oubliez pas d'en préciser le chemin d'accès. Par exemple, si le fichier `monresume.html` est situé dans le dossier Patrick, l'URL devient `Patrick/monresume.html`.

Créer des liens

Pour créer un lien, nous utilisons la balise `<A>...</A>`, également appelée ancre. Elle permet de relier une page Web à une autre. Ce lien est bidirectionnel, vous pouvez aller vers une page Web et revenir à la précédente grâce aux boutons Suivant et Précédent. L'élément A que vous créez s'appelle l'*ancre source*, et l'autre page Web l'*ancre de destination*.

Liens sur des textes et sur des images

Les deux composants de la balise <A>...</A>, sont l'objet servant de lien et la destination. La destination est définie par l'attribut href *(hypertext reference)*. L'objet est donc situé entre les balises <A href>...</A>. Seul l'objet (qu'il soit textuel ou graphique) est visible sur la page Web. Il est possible d'insérer l'élément A au milieu d'une phrase afin d'y définir un lien. Vous pouvez par exemple définir comme lien un mot faisant partie d'une phrase, même sans rapport avec le reste de la phrase.

Dans notre exemple, la famille Durand, la page possède une liste à puces : chaque élément de la liste possèdera un lien menant vers un URL différent.

Tous les URL et les noms de famille de cet ouvrage sont fictifs.

Voici comment créer des liens de vos pages Web vers d'autres pages Web situées quelque part sur la Toile :

1 Ouvrez le fichier links.htm dans votre éditeur de texte.

2 Encadrez de la sorte le premier objet de la liste à puces :

```
<LI>

<A href="http://www.familledupont.com">
La Homepage de la famille Dupont</A>
```

3 Procédez de même avec les deux objets suivants :

```
<LI>

<A href="http://www.famillefournier.com">La
Homepage de la famille Fournier</A>

<LI><IMG src="nouveau.gif">

<A href="http://www.famillecalu.com">La
Homepage de la famille Calu</A>
```

4 Enregistrez le fichier.

5 Affichez la page Web dans le navigateur. Lorsque vous passez le pointeur de la souris sur le lien, l'adresse à laquelle il renvoie s'affiche dans la barre d'état du navigateur (en bas de l'écran), comme l'illustre la figure 5-1.

Figure 5-1 Ajouter des liens vers d'autres sites Web.

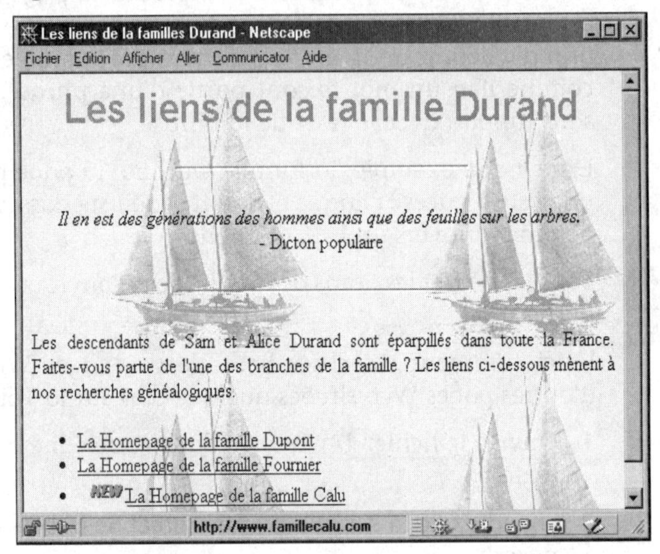

Vous pouvez copier des URL et les coller dans vos documents HTML. Cette méthode limite les erreurs de saisie. Pour cela, affichez dans le navigateur la page Web à laquelle renverra votre lien, et sélectionnez l'adresse apparaissant dans la barre d'adresses, faites alors un copier/coller.

N'oubliez pas de tester tous vos liens avant de publier votre page Web sur Internet. Inutile en revanche de tester les liens de cet ouvrage, nous vous rappelons qu'ils sont fictifs.

Liens vers des pages Web de votre propre site

Bien qu'il soit possible d'utiliser des liens absolus pour relier les pages d'un même site, il est bien plus simple d'utiliser des liens relatifs. Il vous suffit de spécifier le chemin d'accès aux fichiers.

Nous allons créer un lien de la Homepage de la famille Durand (`main.htm`) vers la page de liens (`links.htm`) et vers une troisième page restant à créer (`register.htm`). Gardez tous ces fichiers dans le même dossier pour simplifier les choses. N'oubliez pas que ces techniques sont réutilisables pour tous les sites Web que vous créerez ultérieurement.

Ayez les idées claires ! Pensez à planifier vos liens : quelle page mènera à quelle autre ? Il peut être utile de coucher la structure générale du site sur papier. Le site d'exemple de cet ouvrage est organisé autour de la page centrale, qui permet d'accéder aux deux autres pages.

Comment relier les pages d'un même site Web entre elles ?

1 Ouvrez le fichier main.htm dans votre éditeur de texte.

2 Recherchez le paragraphe commençant par « Cliquez sur les liens de la famille Durand... ». Encadrez « les liens de famille Durand » par les balises `<A href>... </A>` :

```
<P>Cliquez <A href="links.htm">sur les liens
de la famille Durand</A>afin de visiter les
sites Web d'autres familles en relation avec
les Durand.
```

Remarquez la valeur de `href` : le nom du fichier suffit comme référence. N'est-ce pas plus simple que d'avoir à saisir l'intégralité de l'URL ? Sachez que les liens relatifs sont également plus rapides à charger que les liens absolus – vos visiteurs apprécieront !

3 Recherchez le paragraphe commençant par « Si vous connaissez la famille Durand... » et encadrez « Enregistrez votre famille » par les balises `<A href>…</A>` :

```
<P>Si vous connaissez la famille Durand, vous
pouvez lister les membres de votre famille
dans le formulaire prévu à cet effet sur la
page <A href="register.htm">Enregistrez votre
famille</A>.
```

Vous venez de créer un lien vers une page qui n'existe pas encore. Peut-être serait-il plus prudent de créer un document vierge du même nom, que vous remplirez ultérieurement. Pas de panique ! Nous nous pencherons sur la question au chapitre 7. Pour l'instant contentez-vous de créer un nouveau document à l'aide de votre éditeur de texte, appelez-le register.htm et placez-le dans le même dossier que vos autres fichiers HTML.

4 Enregistrez les modifications du fichier main.htm.

5 Chargez la page Web dans votre navigateur. Vous apercevez les deux liens soulignés, comme l'illustre la figure 5-2.

Veillez à bien tester tous les liens des pages que vous publiez sur le Web. Dans notre exemple, si vous cliquez sur les liens de la famille Durand, le navigateur affiche la page Web `links.htm`. Si vous cliquez sur Enregistrez votre famille, le navigateur affiche la page Web vierge `register.htm`. Pour retourner dans la Homepage de la famille Durand, cliquez sur le bouton Précédent du navigateur.

Figure 5-2 Créer un lien d'une page vers une autre.

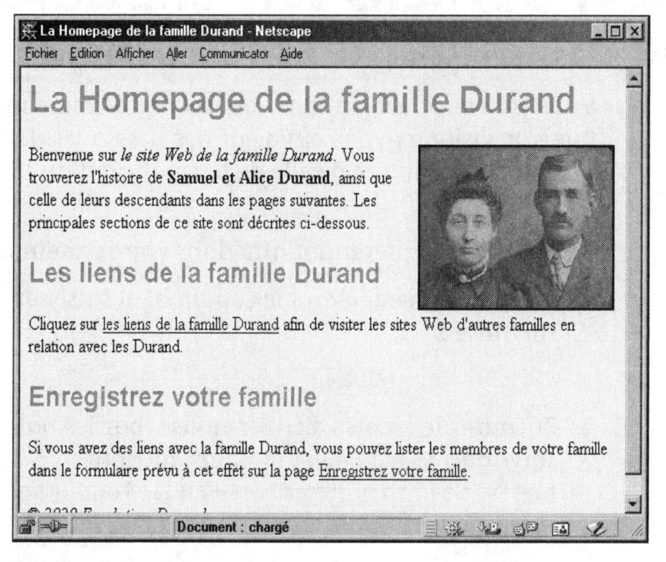

Changer les couleurs d'un lien

Vous n'aimez pas les liens bleus ? Rien ne vous empêche de changer de couleur ! Vous pouvez paramétrer la couleur de tous les liens se trouvant dans l'élément `BODY`. Pour cela, on utilise les éléments `link` (pour les liens non encore cliqués), `vlink` (pour les liens cliqués) et `alink` (pour les liens en cours de cliquage).

Voici un exemple de code :

```
<BODY link="red" vlink="white" alink="cyan">
```

Beaucoup d'utilisateurs sont habitués aux couleurs courantes des liens. Changez-les uniquement si vous y êtes vraiment contraint – à cause d'une couleur de fond d'écran incompatible, par exemple.

Créer des liens vers une adresse de messagerie électronique

Vous pouvez créer un lien vers votre adresse e-mail afin que vos visiteurs vous envoient des messages. La technique est très similaire à celle de la création d'un lien traditionnel :

1 Ouvrez le fichier main.htm dans votre éditeur de texte.

2 Placez le curseur avant le copyright et saisissez la ligne suivante :

```
<P>Écrivez-nous
```

3 Encadrez les mots « Écrivez-nous » par les balises suivantes <A>...</A> et ajoutez l'attribut `href="mailto:webmaster@fondationdurand.com"`:

```
<P><Ahref="mailto:webmaster@fondationdu-
rand.com">Écrivez-nous</A>
```

4 Enregistrez vos modifications.

5 Ouvrez le fichier main.htm dans votre navigateur afin de voir les nouveaux liens, comme l'illustre la figure 5-3.

Figure 5-3 Un lien mailto vers une adresse e-mail.

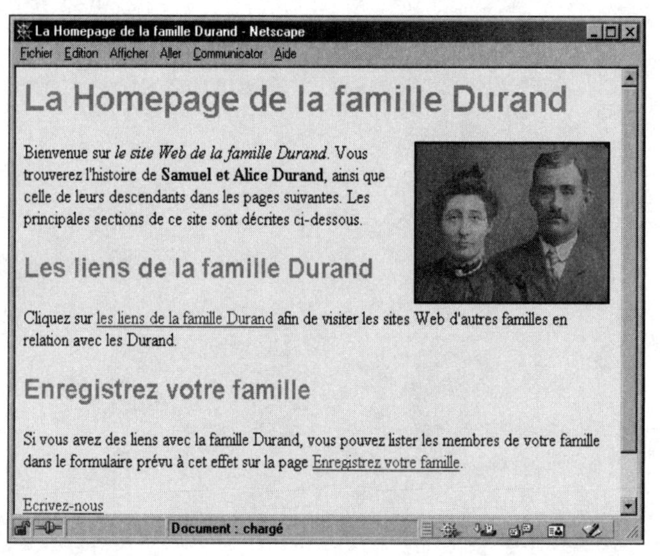

Cette adresse e-mail est fictive ! Tout courrier envoyé vous sera retourné !

Remplacez cette fausse adresse par la vôtre. Vous serez ainsi en mesure de vous envoyer des messages en cliquant simplement sur le lien.

Créer et utiliser des tableaux

6

Dans ce chapitre

- Construire un tableau simple
- Paramétrer la hauteur et la largeur des cellules
- Aligner les cellules
- Modifier la disposition des cellules
- Comprendre le retour chariot

Un tableau est une fonctionnalité du HTML qui permet de ranger des objets en colonnes et en lignes. Les tableaux vous aident, par exemple, à mettre en page un document.

S'il est un élément dont l'affichage diffère d'un navigateur à l'autre, c'est bien le tableau ! Alors n'oubliez pas de vérifier l'affichage de vos tableaux dans les différents navigateurs !

Structure d'un tableau de base

La figure 6-1 montre la structure générale d'un tableau ainsi que la dénomination de chaque partie du tableau.

Figure 6-1 Les différentes parties d'un tableau.

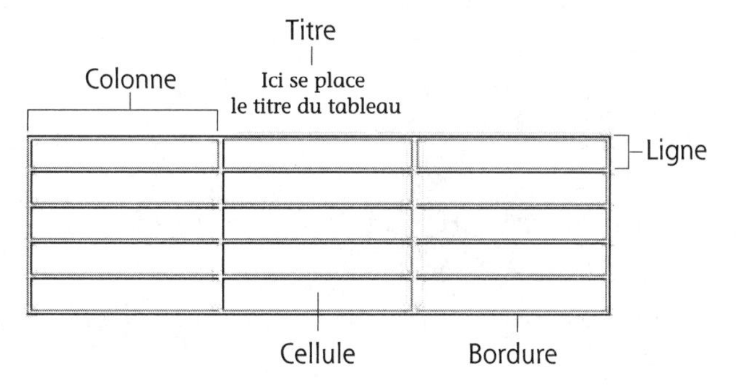

En HTML, l'élément TABLE permet de créer des tableaux. À l'intérieur de cet élément, on trouve l'élément TR *(tablerow*, ligne du tableau) et l'élément CAPTION, qui permet de nommer le tableau. L'élément TR contient l'élément TD *(table data*, données du tableau). Voici le code (sans contenu) permettant la création du tableau de la figure 6-1. Les espaces insécables permettent l'affichage de cellules vides :

```
<TABLE>
<CAPTION align="top">Titre</CAPTION>
<TR>
<TD> </TD>
<TD> </TD>
<TD> </TD>
</TR>
<TR>
<TD> </TD>
<TD> </TD>
<TD> </TD>
</TR>
<TR>
<TD> </TD>
<TD> </TD>
<TD> </TD>
</TR>
<TR>
<TD> </TD>
<TD> </TD>
<TD> </TD>
</TR>
```

```
<TR>
<TD> </TD>
<TD> </TD>
<TD> </TD>
</TR>
</TABLE>
```

Il existe également l'élément `TH` (*table header*, titre du tableau), qui vous permet de nommer chaque colonne du tableau. Le contenu d'un élément `TH` s'affiche centré et en caractère gras. Pour le modifier, il vous suffit de choisir un élément `TD` et d'en changer les paramètres d'alignement et de police.

Une cellule de tableau est une page Web miniature, en ce sens que tout élément de page Web peut-être affiché dans une cellule de tableau. Une cellule peut posséder sa propre couleur de fond, image de fond, ses liens, son texte et ses images. Elle peut même contenir d'autres tableaux. Vous pouvez en outre modifier le contenu d'une cellule de tableau exactement comme vous le feriez pour une page Web.

Les éléments `TR`, `TD` et `TH` ne requièrent pas de balise de fin, bien que vous puissiez en mettre si vous le désirez.

Gardez en mémoire les points suivants lorsque vous travaillez avec des tableaux :

- Comme vous l'avez fait pour l'élément `HR`, vous pouvez aligner un tableau à gauche ou à droite, le centrer et en préciser la largeur en pixels ou en pourcentage de la largeur totale de la page Web.
- Vous pouvez centrer l'élément `CAPTION` au-dessus ou en dessous du tableau. Sachez que les alignements de `CAPTION` à gauche et à droite ne sont acceptés que par Internet Explorer et que l'alignement est réalisé par rapport à la page Web et non par rapport aux bords du tableau.

- Tout comme l'élément IMG, les tableaux possèdent un attribut border. Celui-ci accepte des valeurs de 0 (invisible) à plus.

N'oubliez pas de vérifier que les toutes les lignes de votre tableau possèdent bien le même nombre de cellules !

Créer un tableau dans une page Web

Pour insérer un tableau dans une page Web, il suffit d'utiliser les balises <TABLE>...</TABLE>. Elles encadrent toutes les autres balises définissant les lignes, les colonnes, le titre, *etc.* Vous pouvez utiliser les tableaux pour modifier la mise en page d'une page Web. Voyons comment appliquer cela à la famille Durand.

Au chapitre 5 nous avons créé une liste à puces pour les liens de la famille Durand. Nous allons l'égayer à l'aide d'un tableau et de quelques images :

1. Ouvrez le fichier links.htm dans votre éditeur de texte.
2. Recherchez la liste à puces et supprimez les balises <UL>, <LI> et </UL>. Veillez à ne pas supprimer la balise de lien <A href>.
3. Placez votre curseur juste avant le texte que vous souhaitez intégrer au tableau (la ligne « La Homepage de la famille Dupont », dans l'exemple). Saisissez le code suivant afin de commencer le tableau :

```
<TABLE border="5" bgcolor="#FFFFFF"
bordercolor="000066" cellspacing="0">
```

Nous venons de définir une bordure de 5 pixels de large et un espacement de 0 entre les cellules du tableau. Nous en saurons plus sur l'espacement des cellules plus loin dans ce chapitre. Nous avons également défini une couleur de fond, ainsi qu'une couleur de bordure (voir chapitre 2 pour plus de détails sur la gestion des couleurs).

Pourquoi inclure l'attribut `cellspacing` alors qu'il porte la valeur 0 ? Tout simplement parce que la valeur par défaut de cet attribut est de 2 pixels. N'oubliez pas que les bordures sont transparentes dans Netscape Navigator et opaques dans Internet Explorer.

4 Utilisez l'élément `CAPTION` pour nommer votre tableau :

```
<CAPTION align="top"><B>Familles proches
</B></CAPTION>
```

Nous avons décidé d'appeler ce tableau « Familles proches » et de placer le titre au-dessus du tableau.

5 Ajoutons des lignes au tableau à l'aide de l'élément `TR`. Dans cet exemple, nous avons ajouté un titre à chaque colonne à l'aide de l'élément `TH`. N'oubliez pas que l'élément `TH` est contenu dans l'élément `TR` :

```
<TR>
<TH>Armes de la famille</TH>
<TH>A propos de cette famille</TH>
</TR>
```

Ce code crée deux titres pour une même ligne, le tableau aura donc deux colonnes et chacune portera un nom.

6 Ajoutez autant de lignes que vous le désirez. Si vous suivez l'exemple de cet ouvrage, n'oubliez pas d'incorporer les images des armes de la famille dans la première colonne du tableau. Utilisez l'élément TD pour définir le contenu de chaque cellule. Voici le reste du code :

```
<TR>
<TD width="20%"><IMG src="armes.gif" border="0"
height="88" width="60"></TD>
```

```
<TD><A href="http://www.dupont.com">La Homepage
de la famille Dupont.</A>Auguste Dupont épousa
Marie Durand en 1921. On peut trouver des Dupont
dans près de 12 pays.</TD>

</TR>
```

Ce code permet la création d'une ligne de tableau contenant deux cellules. Chacune d'entre elles est encadrée par les balises <TD> et </TD>. La première cellule contient une image nommée armes.gif, de 88 pixels de haut sur 60 pixels de large. Elle ne possède pas de bordure visible. La deuxième cellule de la ligne contient le lien hypertexte. La Homepage de la famille Dupont menant directement vers l'adresse Web fictive http://www.dupont.com. Ce lien est suivi de deux phrases descriptives portant sur la famille Dupont.

```
<TR>

<TD width="20%"><IMG src="armes2.gif"
border="0" height="88" width="60"></TD>

<TD><A href="http://www.fournier.com">La
Homepage de la famille Fournier.</A>Jean
Fournier épousa Émilie Durand en 1919. Les
Fournier comptent 1033 membres dispersés dans
toute la France ! </TD>

</TR>

<TR>

<TD width="20%"><IMG src="armes3.gif"
border="0" height="88" width="60"></TD>

<TD width="20%"><IMG src="Nouveau.gif"
height="17" width="33"></TD>

<TD><A href="http://www.calu.com">La Homepage
de la famille Calu.</A>La famille Calu est une
nouvelle venue sur notre site</TD>

</TR>
```

Cette dernière ligne est très similaire aux deux précédentes à l'exception de l'image `Nouveau.gif` de 17 pixels de haut sur 33 de large.

Ça fait du bien un peu de code, non ? La figure 6-2 illustre le résultat de votre dur labeur.

Figure 6-2 Votre nouveau tableau.

Les liens de la familles Durand - Netscape

Fichier Edition Afficher Aller Communicator Aide

partie de l'une des branches de la famille ? Les liens ci-dessous mènent à nos recherches généalogiques.

Familles proches

Armes de la famille	A propos de cette famille
	La Homepage de la famille Dupont.Auguste Dupont épousa Marie Durand en 1921. On peut trouver des Dupont dans près de 12 pays.
	La Homepage de la famille Fournier.Jean Fournier épousa Émilie Durand en 1919. Les Fournier comptent 1033 membres dispersés dans toute la France !
	NEW La Homepage de la famille Calu.La famille Calu est une nouvelle venue sur notre site

Document : chargé

Vous avez sans doute remarqué que les liens ne sont pas très espacés du reste du texte. Vous pouvez ajouter plus d'espacement en insérant des espaces insécables (` `). La figure 6-3 illustre le résultat une fois les espaces insécables insérés après chaque lien.

Les éléments `TABLE` et `CAPTION` nécessitent des balises de fin. De plus, l'élément `CAPTION` doit venir tout de suite après la balise de début de l'élément `<TABLE>`.

Paramétrer la hauteur et la largeur des cellules

Vous pouvez paramétrer la hauteur et la largeur d'une cellule indépendamment de celle des autres. Vous pouvez le faire en pixels ou en pourcentage, tout comme pour le tableau dans son intégralité. Dans ce cas, le pourcentage est un pourcentage du tableau.

Assurez-vous que les pourcentages combinés d'une ligne de tableau donnent bien 100 %.

Figure 6-3 Ajouter des espaces insécables dans une page Web.

Les liens de la familles Durand - Netscape

Fichier Edition Afficher Aller Communicator Aide

partie de l'une des branches de la famille ? Les liens ci-dessous mènent à nos recherches généalogiques.

Familles proches

Armes de la famille	A propos de cette famille
	La Homepage de la famille Dupont. Auguste Dupont épousa Marie Durand en 1921. On peut trouver des Dupont dans près de 12 pays.
	La Homepage de la famille Fournier. Jean Fournier épousa Émilie Durand en 1919. Les Fournier comptent 1033 membres dispersés dans toute la France !
	NEW La Homepage de la famille Calu. La famille Calu est une nouvelle venue sur notre site

Document : chargé

Un tableau est composé de lignes et de colonnes, aussi les valeurs en hauteur et en largeur d'une cellule influencent les cellules voisines. Ainsi, la hauteur d'une cellule affecte toutes les cellules d'une même ligne et la largeur d'une cellule affecte toutes les cellules d'une même colonne.

Exercez-vous en paramétrant différemment les cellules du tableau créé précédemment. En vous référant à la figure 6-3, vous pouvez constater que la première colonne est plus large que nécessaire. La première cellule de la colonne est paramétrée pour faire 20 % de la largeur totale du tableau (`<TD width="20%">`). Portez cette valeur à 10 % afin de réduire la largeur de la colonne :

```
<TD width="10%"><IMG src="armes2.gif"
border="0" height="88" width="60"></TD>
```

Réduire la largeur de la première colonne augmente celle de la deuxième. Celle-ci passe alors de 80 % de la largeur à 90 %. La figure 6-4 illustre le résultat.

Figure 6-4 Paramétrer la largeur des colonnes d'un tableau.

Les liens de la familles Durand - Netscape
Fichier Edition Afficher Aller Communicator Aide
généalogiques.
Familles proches

Armes de la famille	A propos de cette famille
	La Homepage de la famille Dupont. Auguste Dupont épousa Marie Durand en 1921. On peut trouver des Dupont dans près de 12 pays.
	La Homepage de la famille Fournier. Jean Fournier épousa Émilie Durand en 1919. Les Fournier comptent 1033 membres dispersés dans toute la France !
	NEW La Homepage de la famille Calu. La famille Calu est une nouvelle venue sur notre site

Document : chargé

Si vous souhaitez qu'une cellule s'adapte automatiquement à la taille d'une image par exemple, il vous suffit de ne préciser ni l'attribut `width`, ni l'attribut `height` pour cette cellule.

Les tableaux sont parfois imprévisibles. Il arrive qu'on sous-dimensionne une cellule par rapport au texte ou à l'image qu'elle contient. Le navigateur a alors tendance à corriger ce défaut en sur-dimensionnant cette cellule.

Aligner des cellules

L'alignement de cellule est affaire d'héritage ! Si vous ne précisez pas d'alignement pour une cellule, elle conservera l'alignement de l'élément qui lui est parent. Par exemple, si vous paramétrez un alignement pour un élément TR, il sera appliqué à tous les éléments TD contenu par l'élément TR. À moins que vous ne précisiez un autre alignement pour un élément TD.

L'attribut align permet de paramétrer l'alignement horizontal. Il accepte les valeurs left (gauche), center (centre) et right (droite). L'attribut valign permet de paramétrer l'alignement vertical et accepte les valeurs top (au-dessus), middle (au milieu) et bottom (en dessous). L'alignement horizontal par défaut est l'alignement left (gauche), tandis que l'alignement vertical par défaut est l'alignement bottom (en dessous).

Pour modifier l'alignement d'une cellule, il suffit d'ajouter les attributs align et valign ainsi que leurs valeurs respectives. Pour l'exemple de cet ouvrage, nous avons centré toutes les images horizontalement et verticalement. Ajoutez les attributs suivants à l'élément TD de chaque image :

```
Align="center" valign="middle"
```

Le code pour la première image devrait ressembler à ceci :

```
<TD align="center" valign="middle"><IMG
src="armes1.gif" border="0" height="88"
 width="60"></TD>
```

Suivez la même logique pour le code des autres images. La figure 6-5 illustre le résultat.

Figure 6-5 Paramétrage de l'alignement du contenu des cellules.

Les liens de la familles Durand - Netscape

Fichier Edition Afficher Aller Communicator Aide

Familles proches

Armes de la famille	A propos de cette famille
	La Homepage de la famille Dupont. Auguste Dupont épousa Marie Durand en 1921. On peut trouver des Dupont dans près de 12 pays.
	La Homepage de la famille Fournier. Jean Fournier épousa Émilie Durand en 1919. Les Fournier comptent 1033 membres dispersés dans toute la France !
	NEW La Homepage de la famille Calu. La famille Calu est une nouvelle venue sur notre site

Document : chargé

Paramétrage du Cell padding et du Cell spacing

Le *Cell padding* permet d'introduire un espace entre les bords d'une cellule et son contenu. Le *Cell spacing* permet quant à lui d'introduire un espace entre les cellules.

Alors que le Cell spacing est une valeur exprimée en pixels, le Cell padding peut être une valeur en pourcentage comme en pixels. Si vous choisissez une valeur en pourcentage, sachez que votre valeur sera divisée par deux car répartie entre le haut et le bas, la gauche et la droite. Par exemple, avec un Cell padding de 20 %, l'espacement sera de 10 % de chaque côté du contenu.

Selon l'aspect général que vous recherchez, vous changerez ou non les paramètres de Cell spacing et de Cell padding. Le texte profite en général assez bien d'un peu de Cell padding, alors que les images sont davantage mises en valeur sans espacement.

Pour ajouter les attributs Cell padding ou Cell spacing, il suffit de les ajouter accompagnés de leur valeur à l'élément TABLE. Voici comment procéder :

```
<TABLE border ="5" cellspacing="6"
cellpadding="6" bgcolor="#FFFFFF"
bordercolor="000066">
```

La figure 6-6 illustre les résultats.

Figure 6-6 Paramétrage du Cell padding et de Cell spacing.

Comment nous l'avons déjà dit, Netscape Navigator laisse voir le fond d'écran en transparence dans les bordures d'un tableau. Pour éviter cela, il suffit de paramétrer l'attribut `cellspacing` à 0. Ceci n'affecte pas l'attribut `cellpadding`.

Essayez plusieurs réglages afin de trouver celui qui vous convient.

Comprendre le retour à la ligne automatique

Par défaut, le texte est paramétré de façon à revenir à la ligne dès qu'il rencontre une fin de ligne ou une fin de cellule. Vous pouvez empêcher cela à l'aide de l'attribut `nowrap`. Le texte est alors prioritaire sur le format de la cellule. Celle-ci s'élargit pour accueillir l'intégralité du texte. Même si vous ne voyez pas immédiatement l'application pratique de cette fonction, elle peut être pratique pour disposer un poème par exemple, afin que les vers ne soient pas coupés.

Si vous utilisez l'attribut `nowrap`, le texte peut sortir de l'écran, obligeant vos visiteurs à utiliser la barre de défilement horizontale.

Si vous utilisez l'attribut `nowrap`, vous pouvez forcer le retour à la ligne à l'aide des éléments `P` et `BR`.

Rendre les bordures invisibles

Les meilleures pages Web sont souvent disposées sous forme de tableaux affectés de bordures invisibles (les bordures de cellules ont alors la valeur 0). En supprimant les bordures, vous pouvez vous servir des tableaux pour des mises en pages complexes, les bordures ne gênant pas la lecture du contenu de la page Web.

Le code des bordures invisibles est le suivant :

```
<TABLE border="0">
```

Vous pouvez paramétrer les attributs Cell padding et Cell spacing pour définir l'espacement entre les lignes et les colonnes. Toutefois, n'oubliez pas que, comme vous avez rendu les bordures invisibles, les lignes séparatrices le sont aussi !

La figure 6-7 représente notre tableau avec des bordures invisibles. Ici, d'après nous, l'absence de bordures nuit à la lisibilité de l'ensemble – mais vous pouvez très bien avoir un avis différent.

Figure 6-7 Rendre les bordures invisibles.

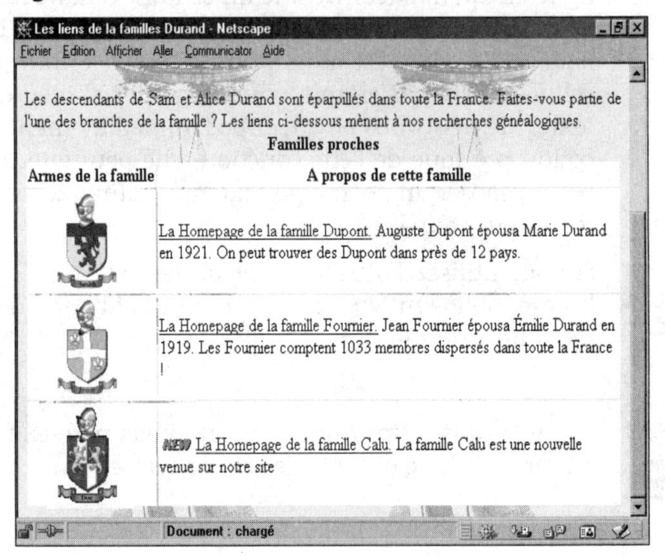

Utiliser les formulaires

7

Dans ce chapitre

- Comprendre le fonctionnement des formulaires
- Comprendre l'élément INPUT
- Ajouter un élément TEXTAREA
- Créer des menus déroulants avec les éléments SELECT et OPTION

Les formulaires vous permettent de recueillir des informations provenant des visiteurs de votre site. Le HTML donne le choix entre plusieurs méthodes : soit les visiteurs déposent directement des informations, soit ils les choisissent dans une liste. Plusieurs types de formulaires existent, allant du simple encadré jusqu'à des listes d'options déroulantes. Ces informations sont ensuite stockées par le serveur hébergeant votre site Web. Un programme spécial, appelé script CGI, vous permet ensuite de consulter ces informations.

Les formulaires peuvent atteindre un degré élevé de complexité. Il existe des ouvrages entiers ne traitant que de formulaires ! Aussi nous limiterons-nous aux notions indispensables.

Construire des formulaires

La plupart des formulaires sont structurés avec soin. Lors de l'élaboration du formulaire, vous devez veiller à prévoir toutes les situations possibles. Un emplacement de sept caractères pour la saisie du nom du visiteur n'a aucun sens, par exemple, car c'est bien trop peu ! De même, un emplacement pour la saisie du code postal doit pouvoir admettre tous les codes postaux internationaux.

Tous les éléments de saisie d'un formulaire nécessitent un attribut `name` (nom). Cet attribut permet de classer les informations apportées par les visiteurs. Une fois le formulaire complété, les informations des visiteurs sont envoyées au serveur par couple name/valeur en cliquant simplement sur un bouton.

Ce qui est nécessaire pour utiliser les formulaires

Les formulaires fonctionnent en deux temps : dans un premier temps, le formulaire en lui-même rempli par les visiteurs et dans un deuxième temps, le script CGI, qui vous permet de récupérer les informations.

Le script CGI *(Common Gateway Interface)* est un programme écrit en C++ ou en Perl qui transforme la collection de données recueillies par l'intermédiaire de votre formulaire en quelque chose de lisible et d'exploitable. Vous n'avez pas besoin de connaître ces langages, il suffit que vous sachiez si le serveur de votre fournisseur d'accès peut exécuter les scripts que vous voulez autoriser.

Les programmes CGI sont utiles pour les tâches suivantes :

- Gestion de fichiers d'utilisateurs
- Mise à jour de base de données
- L'envoi simultané d'un e-mail contenant les informations récupérées par le biais du formulaire à votre adresse et d'un e-mail de remerciement à la personne ayant rempli le formulaire.

Créer une page Web contenant un formulaire

La saisie des données est assez simple. Après avoir identifié le script CGI que vous souhaitez utiliser, vous indiquez au formulaire comment accéder au programme. Vous réalisez ceci à l'aide de l'attribut `action` de la balise de début de l'élément `FORM`. Cet attribut accepte la localisation et le nom dudit programme comme valeur. Si vous utilisez le programme `trieur.pl`, la balise de début ressemble à ceci :

```
<FORM action="/cgi-bin/trieur.pl.pl;
" method="post">
```

La partie du code `/cgi-bin/trieur.pl` constitue le chemin d'accès au programme CGI. Sur la plupart des serveurs, les programmes CGI sont contenus par le dossier cgi-bin.

L'attribut `method` possède deux valeurs, `post` et `get`, et on utilise presque toujours la valeur `post`. Ce sont deux façons différentes d'envoyer des informations à partir du formulaire vers le programme CGI.

Comprendre l'élément INPUT

L'élément `INPUT` permet de créer la plupart des formulaires destinés à recueillir des informations auprès des visiteurs. Il est même possible de créer un formulaire uniquement constitué d'éléments `INPUT`. Cet élément est très souple, sa fonction précise est déterminée par la valeur de l'attribut `type`. À l'aide de l'élément `INPUT`, vous pouvez obtenir un champ de texte, un bouton et bien d'autres éléments de contrôle de votre formulaire.

L'élément `INPUT` ne requiert pas de balise de fin.

Utiliser des champs de texte

Les champs de texte permettent à vos visiteurs de saisir de courtes phrases telles que des noms ou des adresses. Il existe pour cela deux variantes de l'élément `INPUT` : les textes et les mots de passe. Ces deux éléments de saisie fonctionnent exactement de la même manière, à ceci près que, lors de la saisie d'un mot de passe, les caractères entrés par le visiteur sont remplacés par des astérisques à l'écran. Ceci permet au visiteur de saisir en toute sécurité des données confidentielles, à l'abri des regards indiscrets.

Que vous utilisiez l'élément `INPUT` pour créer des champs de texte ou de mots de passe, vous devez fournir l'attribut `size` afin de définir la taille de votre champ. Notez que cet attribut ne limite en rien le nombre de caractères que ce champ peut contenir, il limite juste le nombre de caractères affichés simultanément à l'écran. Ainsi, si vous saisissez une phrase de 30 caractères dans un champ de texte de 20 caractères, vous devrez utiliser les barres de défilement pour visualiser l'intégralité du texte. Par défaut, vous pouvez saisir autant de caractères que vous le désirez, mais vous pouvez toutefois préciser un nombre de caractères maximal à l'aide de l'attribut `maxlength`. Si vous lui attribuez une valeur de 10 par exemple, il sera impossible de saisir plus de 10 caractères dans le champ concerné.

Un champ de texte prend la valeur que le visiteur lui donne, vous pouvez toutefois lui donner une valeur par défaut à l'aide de l'attribut `value`. Cette valeur par défaut s'affiche dans le champ de texte du formulaire dès que celui-ci apparaît sur l'écran de votre visiteur. Par exemple, si vous avez une série de boutons d'option, l'un deux peut être sélectionné par défaut.

Nous allons créer un formulaire pour le site de la famille Durand afin que les personnes apparentées à la famille puissent s'enregistrer en ligne. Il vous sera possible d'appliquer ces principes par la suite à vos pages Web.

La première étape consiste à créer les champs de saisie de texte très simples. Pour cela, utilisez la balise `<INPUT type="text">`, suivie d'informations plus spécifiques concernant la taille et la valeur du champ. Mettons toute cette théorie en pratique sur le site Web de la famille Durand.

1 Ouvrez le fichier register.htm dans votre éditeur de texte. Vous avez déjà créé ce fichier au chapitre 5, vous vous en souvenez ?

2 Commençons par paramétrer notre document. Nous nous contenterons dans un premier temps de tracer les grandes lignes de la page Web en définissant un titre et des couleurs. Nous ajouterons un texte d'introduction au formulaire :

```
<HTML>
<HEAD>
<TITLE>Enregistrez votre famille</TITLE>
</HEAD>
<BODY bgcolor="beige">
<H1 align="center"><FONT color="rosybrown"
face="Arial, Helvetica, sans-serif">Enregis-
trez votre famille</FONT></H1>
<P>Vous êtes parent de la famille Durand ?
Dans ce cas, votre famille a sa place sur les
pages de ce site. Remplissez le formulaire
suivant, puis cliquez sur le bouton Soumettre
pour nous envoyer les informations. Nous
serons heureux d'ajouter votre famille aux
<A href="links.htm">liens de la famille
Durand</A>.
</BODY>
</HTML>
```

3 Ajoutez ces quelques lignes vides avant la balise `</BODY>` et tapez dans les deux parties du formulaire, avant l'élément `</BODY>` :

```
<FORM method="post" action="/cgi-bin/
mailform.pl">
</FORM>
```

La ligne cgi-bin/mailform.pl renseigne le formulaire sur la localisation du programme CGI qui traitera les données.

4 Nous allons maintenant créer le formulaire proprement dit entre ces deux balises. Celui-ci est composé d'instructions et de commentaires qui permettent aux visiteurs de savoir quel type d'information ils doivent donner :

```
<FORM method="post" action="/cgi-bin/
mailform.pl">

<P><B>Votre nom:</B>

<INPUT type="text" size="20" name="username">

<P><B>Votre adresse e-mail : </B>

<INPUT type="text" size="20" name="address">

<P><B>Votre adresse Web (si vous en possédez
une) : </B>

<INPUT type="text" size="20" name="URL">

</FORM>
```

L'attribut name utilisé avec chaque élément du formulaire est très important, il permet d'attribuer un nom aux données collectées par chaque champ du formulaire. Le script CGI utilise ces informations pour traiter les données du formulaire.

Remarquez que nous avons choisi la même taille (soit 20 caractères de large) pour tous les champs de saisie, pour une raison de cohérence. Nous n'avons pas précisé de longueur de saisie maximale (attribut maxlength), aussi les utilisateurs peuvent-ils saisir autant de caractères qu'ils le désirent.

5 Enregistrez le fichier.

6 Affichez la page Web dans le navigateur. La figure 7-1 illustre le résultat.

Figure 7-1 L'utilisation des champs de texte.

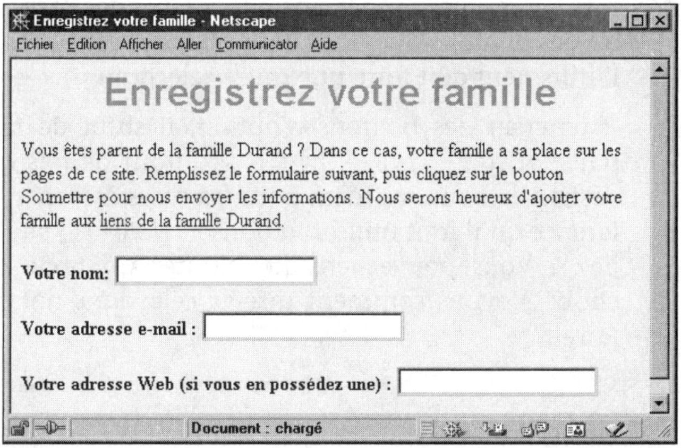

Utiliser les boutons d'option et les cases à cocher

En plus des données textuelles, vous pouvez proposer plusieurs options aux visiteurs, à l'aide de boutons d'option (appelés aussi boutons radio) et de cases à cocher, par exemple. Les boutons d'option sont des cercles vides qui se remplissent d'un point lorsqu'ils sont sélectionnés, alors que les cases à cocher sont des carrés vides qui se trouvent cochés lorsqu'on les sélectionne.

La différence principale entre les deux tient au fait que les cases à cocher sont indépendantes les unes des autres. Chaque case possède son nom propre et le visiteur peut très bien décider de toutes les cocher ou de n'en cocher aucune. Les boutons d'option sont, au contraire, regroupés sous le même nom et le fait d'en sélectionner un désélectionne automatiquement les autres. Vous pouvez, bien entendu, disposer de plusieurs groupes de boutons d'option, chaque groupe étant indépendant des autres et possédant son propre nom.

Contrairement aux champs textuels, les cases à cocher et les boutons d'option possèdent des valeurs prédéfinies que le visiteur ne peut modifier. L'attribut checked permet de présélectionner une des valeurs des cases à cocher ou des boutons d'option. Pour changer cette présélection, l'utilisateur doit faire une autre sélection.

Pour créer des boutons d'option, il suffit de répéter la balise <INPUT type="radio"> autant de fois que vous désirez de boutons. Idem pour les cases à cocher, à la différence qu'il faut utiliser la balise <INPUT type="checkbox>. Vous pouvez ensuite ajouter un texte de votre choix. Voyons comment insérer cela dans notre formulaire :

```
<P><B>Combien de membres dans votre famille
proche : </B>

<INPUT type="radio" name="membres" value="
unacinq">1-5

<INPUT type="radio" name="membres" value="
cinqadix">5-10

<INPUT type="radio" name="membres" value="
plusdedix">Plus de 10

<P><B>Je suis parent des : </B>

<INPUT type="checkbox" name="Durandlien">la
famille Durand

 <INPUT type="checkbox" name="Dupontlien">la
famille Dupont

<INPUT type="checkbox" name="Fournierlien">la
famille Fournier

<INPUT type="checkbox" name="Calulien">la
famille Calu
```

La figure 7-2 illustre le résultat.

Figure 7-2 Utilisation de boutons d'option et de cases à cocher.

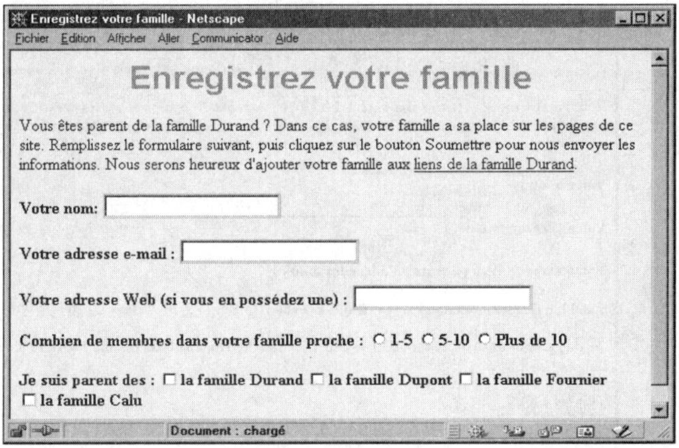

Ajouter les boutons Submit et Reset

Les boutons Submit et Reset sont deux des boutons les plus utilisés dans le petit monde des formulaires. Ces boutons possèdent des fonctionnalités précises et prédéfinies. Si le visiteur clique sur le bouton Reset, toutes les entrées du formulaire sont effacées et il peut alors recommencer. S'il appuie sur le bouton Submit, les données sont validées. On place en général ces deux boutons à la fin du formulaire.

Voici comment procéder pour les intégrer au code :

```
<P><INPUT type="submit" name="submit"
 value="submit">

<INPUT type="reset" name="reset" value="reset">
```

La figure 7-3 illustre le résultat.

Figure 7-3 Ajouter les boutons Reset et Submit.

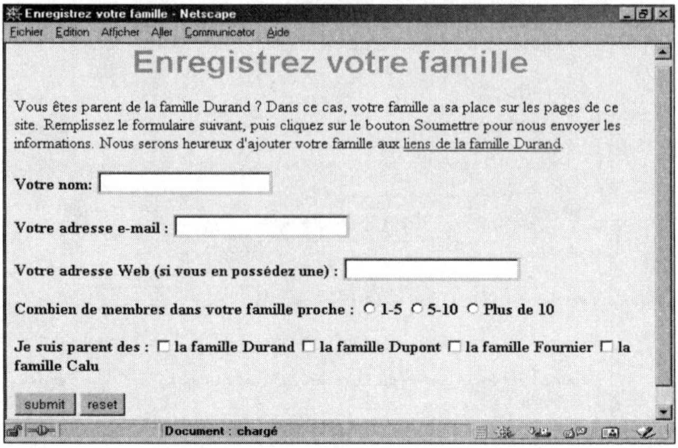

Utiliser l'élément TEXTAREA

Vous souhaitez obtenir beaucoup d'informations sur un visiteur mais vous voulez éviter d'avoir une multitude de petits champs texte ? Il suffit d'utiliser un élément `TEXTAREA`. Tout comme un champ texte, l'élément `TEXTAREA` porte un nom. La valeur de cet élément correspond au texte que le visiteur saisit.

Un élément `TEXTAREA` est bien plus encombrant qu'un champ texte. Vous définissez sa taille exacte à l'aide des attributs `cols` (nombre de caractères par ligne) et `rows` (nombre de ligne au total).

La balise de fin `</TEXTAREA>` est ici requise. Vous pouvez saisir du texte entre les deux balises, celui-ci apparaît alors dans la zone de texte. L'utilisateur peut l'effacer ou saisir par-dessus.

Dans notre exemple, nous allons ajouter un élément `TEXTAREA` de façon que les personnes apparentées puissent envoyer leurs commentaires. Entrez ce code avant les boutons Submit et Reset.

Intégrons cet élément à nos travaux :

```
<P><B>Vous pouvez nous faire parvenir vos com-
mentaires et vos suggestions. Cet espace est
prévu pour cela.</B>

<BR>

<TEXTAREA name="Commentaires" cols="50"
 rows="10">Saisissez votre texte.</TEXTAREA>
```

La figure 7-4 illustre le résultat.

Figure 7-4 Ajouter une zone TEXTAREA.

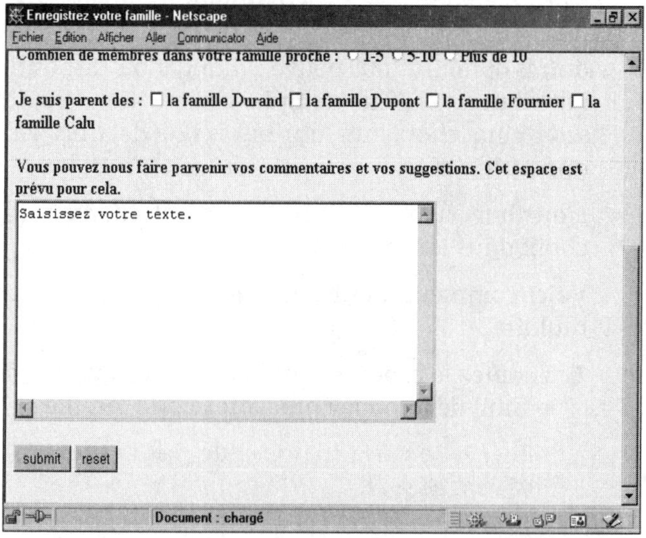

Utiliser les éléments SELECT et OPTION

Quand il s'agit de présenter un maximum de choix en un minimum de place, on peut difficilement faire mieux qu'une liste déroulante. Il est possible de mettre en place des listes déroulantes en HTML à l'aide des éléments SELECT et OPTION.

On peut définir de différentes façons les valeurs de l'élément `OPTION`. Ainsi, dans l'exemple suivant, Durand et Dupont sont tous les deux des valeurs de l'élément `OPTION` :

```
<OPTION>Durand
<OPTION value="Dupont">Dupont ou Dupond
```

Comme pour les boutons d'option et les cases à cocher, vous pouvez présélectionner une option particulière. Pour cela, utilisez l'attribut `selected`.

Normalement, les listes déroulantes n'affichent que le premier choix, l'utilisateur doit cliquer pour accéder aux autres options. Vous pouvez changer ces dispositions avec l'attribut `size`. Par exemple, si votre liste déroulante possède cinq choix, un attribut `size` de trois en laissera apparaître trois.

L'attribut `multiple` permet de sélectionner plus d'un choix dans la liste déroulante.

Voici comment ajouter une liste déroulante à notre formulaire :

1 Ajoutez le code suivant juste en dessous de l'adresse e-mail de la page Enregistrez votre famille :

```
<P><B> Je fais partie de la tranche d'âge
suivante :</B>
<SELECT name="pickone">
<OPTION>Entre 10 et 20 ans
<OPTION>Entre 20 et 40 ans
<OPTION>Entre 40 et 60 ans
<OPTION>60 ans et plus
</SELECT>
```

2 Enregistrez le fichier.

3 Affichez la page Web dans votre navigateur. Si vous cliquez sur la flèche à côté de la liste déroulante, vous

apercevez les différents choix que vous avez créés (figure 7-5).

Figure 7-5 Liste déroulante.

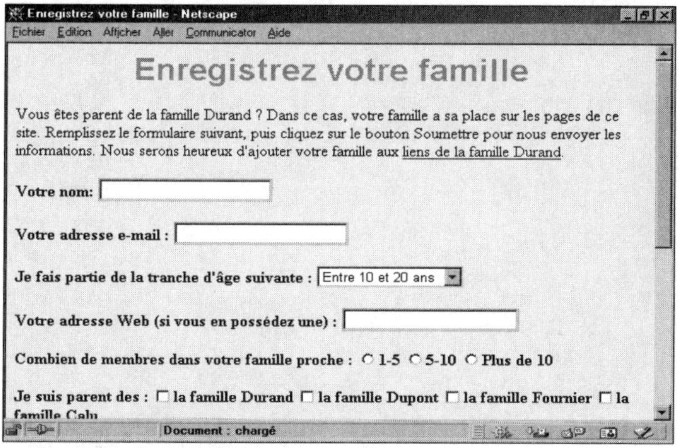

Les formulaires permettent aux visiteurs d'intervenir activement dans votre site Web et au Webmaster (vous !) de disposer de données claires. Nous allons maintenant découvrir les facilités offertes par les cadres.

Mettre en page à l'aide de cadres

8

Dans ce chapitre

- Qu'est ce qu'un frameset
- Naviguer avec les cadres
- Pointer des cadres à l'aide de liens hypertextes
- Prévoir les navigateurs allergiques aux cadres

Les cadres permettent de subdiviser la fenêtre d'un navigateur en plusieurs plans. Chaque plan contient une page Web différente. Les cadres augmentent la lisibilité d'une page Web et ajoutent à l'interactivité. Il faut toutefois être prudent : une mauvaise utilisation des cadres peut rendre une page Web impraticable !

N'utilisez les cadres que s'ils ajoutent à la fonctionnalité de votre site. Étant composée de plusieurs fichiers HTML, une page comportant des cadres sera plus longue à charger qu'une page Web traditionnelle. Assurez-vous que le contenu de chaque cadre est à la bonne taille. Beaucoup de concepteurs de sites utilisent les cadres pour placer le plus d'informations possible sur le même écran. Résultat : le visiteur est submergé d'informations et doit en outre souvent recourir aux barres de défilement...

La règle d'or ? Rester simple et fonctionnel !

Qu'est-ce qu'un frameset ?

Un *frameset* n'est pas une page Web comme les autres : c'est une page Web composée d'autres pages Web réparties en différents cadres. C'est dans le frameset qu'est défini l'agencement des différentes cadres.

L'élément `FRAMESET` prend alors la place de l'élément `BODY`. À l'intérieur de l'élément `FRAMESET`, on trouve des éléments FRAME qui définissent les parties de la page dans lesquelles s'afficheront des pages Web.

Les éléments FRAMESET ne contiennent pas d'éléments directement visibles à l'écran, à part l'élément TITLE qui donne son titre à la page.

Préparer une disposition de cadre

Les framesets indiquent au navigateur comment diviser la fenêtre en lignes et en colonnes individuelles. Les attributs rows (lignes) et cols (colonnes) de l'élément FRAMESET permettent de préciser combien de cadres seront contenus dans le frameset. Si vous choisissez une valeur de 2 pour rows par exemple, l'écran sera divisé horizontalement en deux cadres :

```
<FRAMESET rows="50%, 50%">
<FRAME src="dessus.htm">
<FRAME src="dessous.htm">
</FRAMESET>
```

Avec une valeur de 3 pour cols, vous divisez verticalement l'écran en trois cadres :

```
<FRAMESET cols="33%, 33%, 34%">
<FRAME src="gauche.htm">
<FRAME src="centre.htm">
<FRAME src="droite.htm">
</FRAMESET>
```

Les figures 8-1 et 8-2 illustrent les résultats de ces deux codes.

Figure 8-1 Diviser votre page Web en deux cadres horizontaux.

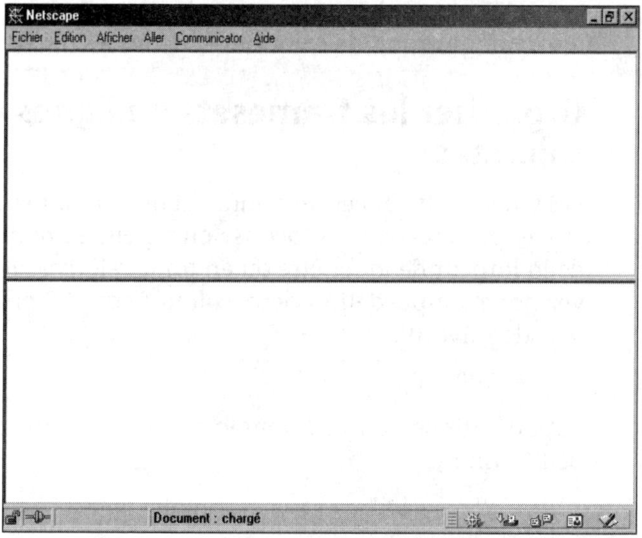

Figure 8-2 Diviser votre page Web en trois cadres verticaux.

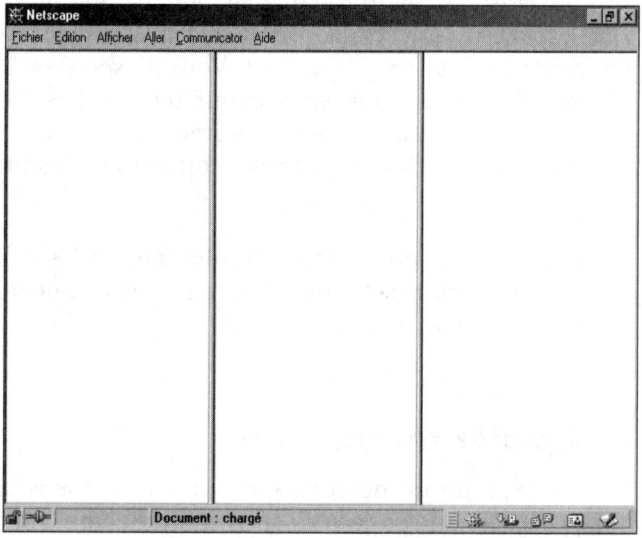

Les exemples précédents sont très simples. Comme vous le verrez au cours de ce chapitre, chaque frameset possède une configuration de colonnes et de lignes différente.

Organiser les framesets en lignes et en colonnes

Les valeurs attribuées aux lignes et aux colonnes peuvent être exprimées de trois façons : en pixels, en pourcentage de la largeur de la fenêtre ou en taille relative. Vous pouvez par exemple définir deux colonnes de 100 pixels avec le code suivant :

```
cols="100,100"
```

Pour définir deux lignes dont la première occupe un quart de l'écran :

```
rows="25%, 75%"
```

Vous pouvez accomplir la même chose en valeur relative :

```
rows="25%, *"
```

L'astérisque de la deuxième valeur signifie : occuper l'espace restant. Une autre approche consiste à laisser le navigateur s'occuper de tout. Vous ne spécifiez alors que les relations de taille entre les différents cadres. Ainsi dans le code suivant, les deux colonnes du milieu sont deux fois plus grandes que les deux colonnes extérieures :

```
cols="1*, 2*, 2*, 1*"
```

Vous pouvez paramétrer simultanément les deux attributs d'un frameset. Voici comment diviser une fenêtre en quatre frames égales :

```
rows="50%, 50%" cols="50%, 50%"
```

Ajouter du contenu

Bien sûr, un frameset ne sert à rien tant que vous n'avez pas inséré une page Web dans chaque cadre. Pour ajouter du contenu, utilisez l'élément `FRAME` et son attribut `src`.

La valeur de cet attribut est l'URL de la page Web contenu dans l'élément FRAME.

Assurez-vous que le nombre de cadres correspond au nombre d'éléments FRAME. Si vous créez plus de cadres que d'éléments FRAME, vous obtiendrez des cadres vides.

Internet Explorer n'affiche pas les cadres vides alors que Netscape Navigator les affiche.

Voici comment insérer des cadres dans le site de la famille Durand :

1 Ouvrez l'éditeur de texte et créez un nouveau document.

2 Enregistrez ce document sous le nom framelinks.htm. Nous donnerons plus de corps à ce fichier plus tard dans ce chapitre. Veillez à enregistrer ce fichier dans le même dossier que les autres documents.

3 Créez un nouveau document qui servira de frameset.

4 Saisissez le code suivant :

```
<HTML>
<HEAD>
<TITLE>Le site Web de la famille Durand
</TITLE>
</HEAD>
<FRAMESET cols="20%, 80%">
<FRAME name="navigation" src="frame-
links.htm">
<FRAME name="contenu" src="main.htm">
</FRAMESET>
</HTML>
```

Le premier cadre (le cadre de navigation) est réservé au document `framelinks.htm` créé à l'étape 2. Ce document fera office de table des matières du contenu de votre site. Quand le visiteur cliquera sur l'un des liens, la page correspondante s'affichera automatiquement dans l'autre cadre (la fenêtre de contenu). Le cadre de navigation affiche le document `framelinks.htm`, de façon à ce que les visiteurs aient toujours la table des matières sous les yeux.

Le document `main.htm` du code précédent apparaît en premier dans le cadre de contenu.

5 Enregistrez le fichier sous le nom `index.htm`, dans le même dossier que les autres fichiers du site.

La plupart des serveurs Web prennent la page `index.htm` ou `index.html.` ; comme document à afficher par défaut. Ainsi, lorsque vous vous rendez sur le site `www.netwelcome.com`, le navigateur affichera la même page que si vous lui précisez l'adresse `www.netwelcome.com/index.html`. Vérifiez auprès de votre hébergeur de site que le nom par défaut est index.htm ou index.html.

6 Affichez votre fichier index.htm. ; à l'aide du navigateur (figure 8-3). Il est normal que le cadre de gauche reste vide. Regardez celui de droite (auquel est affecté 80% de la page) : il devrait afficher la Homepage de la famille Durand.

Figure 8-3 Fenêtre divisée en deux cadres.

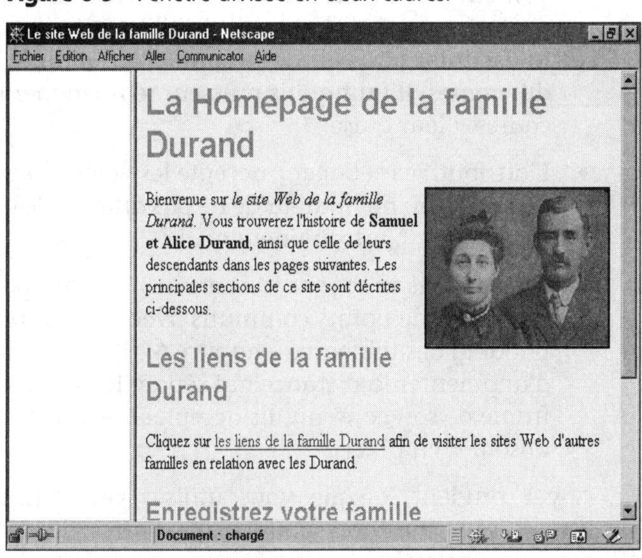

Les options des cadres

Les éléments `FRAME` possèdent l'attribut `src`, mais ce n'est pas le seul ! Nous traiterons plus tard de l'attribut `target` pour nous pencher sur les autres attributs :

- L'attribut `scrolling` autorise ou non les visiteurs à utiliser les barres de défilement lorsque le contenu de la page dépasse les limites de l'écran. La valeur par défaut de cet attribut est auto, ce qui laisse au navigateur le choix d'afficher les barres de défilement lorsque c'est nécessaire. Vous pouvez régler ce paramètre manuellement à l'aide des valeurs `yes`, `no` et `auto`. La valeur `yes` demande au navigateur de toujours afficher les barres de défilement. La valeur `no` interdit au navigateur de les afficher même en cas de nécessité.
- L'attribut `noresize` empêche les visiteurs de redimensionner les cadres en glissant-déplaçant les bordures. Cet attribut n'accepte pas de valeur et ne

doit être utilisé que lorsque les dimensions des cadres sont nécessaires à la bonne lisibilité de la page. Les internautes utilisant des résolutions d'écran très différentes, il faut qu'ils puissent réaménager les cadres à leur guise.

- L'attribut `frameborder` accepte les valeurs 0 et 1. Le 0 demande au navigateur de ne pas afficher de bordures aux cadres, contrairement au 1.
- Les attributs `marginheight` et `marginwidth` possèdent beaucoup de points communs avec l'attribut cell padding des tableaux (chapitre 6). Ils permettent d'augmenter la distance qui sépare le bord d'une frame de son contenu. Ils acceptent des valeurs absolues en pixels.

Soyez prudent lorsque vous utilisez ces attributs. Des cadres sans bordures pourvus de barres de défilement peuvent vraiment paraître étranges au milieu d'une page Web ! Changer les paramètres des attributs `marginheight` ou `marginwidth` peut également entraîner des résultats bizarres sur les tableaux contenus par ces cadres.

Si vous voulez tester des cadres sans bordures, il vous suffit de changer le code définissant vos deux cadres par celui-ci :

```
<FRAME src="framelinks.htm" frameborder="0">
<FRAME src="main.htm" frameborder="0">
```

Enregistrez le document HTML et ouvrez-le dans un navigateur : vous constatez que les cadres ne possèdent plus de bordures. Toutefois, pour l'exemple suivant, assurez-vous que les cadres soient bien visibles. Nous allons maintenant créer une page de navigation.

Utiliser les cadres pour la navigation

Une des utilisations les plus courantes des cadres consiste en l'élaboration de systèmes de navigation. Un cadre sert en quelque sorte de table des matières pendant que l'autre se charge d'afficher les pages correspondant aux déplacements des visiteurs dans la hiérarchie du site.

En général, le cadre de navigation est plus petit que le cadre principal. Vous pouvez placer le cadre de navigation où bon vous semble, en haut, en bas, à gauche ou à droite de la frame principale. Dans notre exemple, nous avons déjà défini l'emplacement du cadre de navigation lors du frameset. Le cadre de navigation (celui qui possède l'attribut `name="navigation"`) prend 20 % de la largeur de la page tandis que le cadre principal (portant l'attribut `name="content"`) couvre le reste.

L'objectif du cadre de navigation est de mettre en évidence les liens qui mènent à toutes les pages du site. Ainsi, quelle que soit la page apparaissant dans le cadre principal, le visiteur peut toujours cliquer sur un des liens. Suivez les étapes ci-dessous afin de mettre en place le cadre de navigation :

1 Ouvrez le fichier `framelinks.htm` dans l'éditeur de texte.

2 Saisissez le code suivant :

```
<HTML>
<HEAD>
<TITLE>Le site Web de la famille Durand
</TITLE>
</HEAD>
<BODY bgcolor="beige">
<P><A href="main.htm">La Homepage de la
famille Durand</A>
```

```
<P><A href="links.htm">Les liens de la
famille Durand</A>

<P><A href="register.htm">Enregistrez votre
famille</A>

</BODY>

</HTML>
```

3 Enregistrez le fichier.

4 Ouvrez le fichier `index.htm` dans le navigateur (ou actualisez l'affichage si ce fichier est déjà affiché dans le navigateur). Le résultat est illustré par la figure 8-4.

Figure 8-4 Un cadre de navigation contient les liens vers les pages importantes du site.

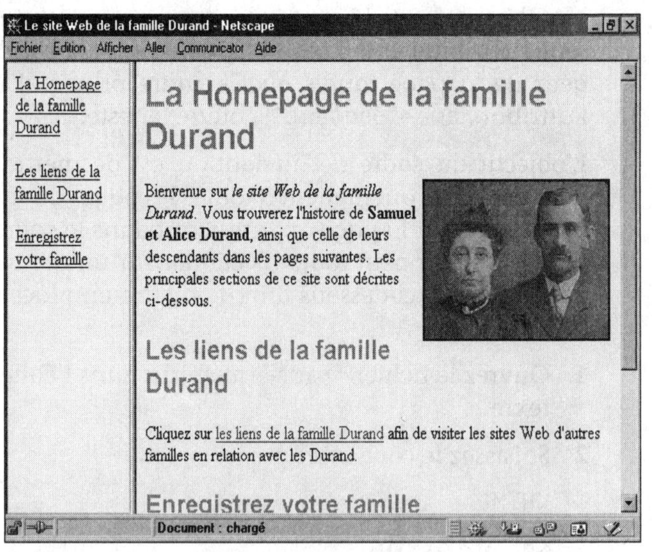

Utiliser l'attribut target

Un cadre est vraiment interactif lorsqu'une page Web s'affiche dans un cadre quand est cliqué un lien dans un autre cadre. Pour cela, on a besoin de noms de cadre : quand vous définissez un lien, vous pouvez lui attribuer un cadre d'affichage et cela grâce à l'attribut target de l'élément FRAME. Cet attribut accepte comme valeur le nom du cadre où doit s'afficher la page Web :

```
<FRAME src="pagename.htm" target="framename">
```

Nous avons nommé « navigation » le cadre de navigation et « contenu » le cadre de contenu lors de la définition du frameset. En utilisant l'attribut `target` en conjonction avec la valeur « contenu », on peut afficher dans le cadre contenu la page Web correspondant au lien cliqué dans le cadre de navigation :

```
<P><A href="main.htm" target="contenu">
La Homepage de la famille Durand</A>

<P><A href="links.htm" target="contenu">
Les liens de la famille Durand</A>

<P><A href="register.htm" target=
"contenu">Enregistrez votre famille</A>
```

Prévoir les navigateurs allergiques aux cadres

Certains navigateurs ne supportent pas les cadres. Pour ces derniers, il est conseillé d'ajouter des informations qui s'afficheront malgré tout afin de prévenir les visiteurs que leur navigateur ne prend pas en charge les cadres. Pour ce faire, utilisez l'élément `NOFRAMES` qui doit se trouver juste avant la balise de fin de l'élément `FRAMESET` :

```
<FRAMESET cols="20%, 80%">

<FRAME name="navigation" src="framelinks.htm">

<FRAME name="contenu" src="main.htm">

<NOFRAMES>

<P>Cette page Web utilise les cadres, votre
navigateur ne les prend pas en charge.</P>

</NOFRAMES>

</FRAMESET>
```

L'élément NOFRAMES n'est visible qu'avec les navigateurs ne prenant pas en charge les cadres. L'internaute disposant d'un tel navigateur ne doit voir que le contenu entre les balises <NOFRAMES> et </NOFRAMES>.

Pour voir l'élément NOFRAMES en action, il suffit de télécharger un navigateur très simple comme Lynx, que vous trouverez à l'adresse suivante http://browserwatch.internet.com/browsers.html.

Allez de l'avant avec votre site Web ! 9

Dans ce chapitre

- Vérifier les pages Web avant de les publier
- Héberger votre site et trouver les logiciels nécessaires à la publication
- Tester vos pages Web

La création de votre site Web ne représente que la première étape de votre accession à l'Internet. Vous devez encore le publier et le mettre à jour. En publiant votre site, vous déplacez les fichiers qui le composent de votre ordinateur vers un serveur Web. Ce dernier est tout simplement un ordinateur relié à l'Internet 24 heures sur 24. Le monde entier peut ainsi accéder à votre site Web à n'importe quelle heure du jour et de la nuit.

Comment vérifier vos pages avant de les publier ? Où faire héberger votre site ? Comment le mettre à jour ? Nous allons répondre à ces questions cruciales.

Vérifier les pages Web

Avant de publier votre site sur Internet, il faut le vérifier. Ouvrez les pages une à une dans un navigateur - il est recommandé de tester vos pages avec plusieurs navigateurs ; essayez en priorité Netscape Navigator et Microsoft Internet Explorer. Passez au crible les points suivants :

- **Le texte.** Traquez les moindres fautes d'orthographe. N'oubliez pas que votre texte peut être lu par des centaines, voire des milliers de personnes !
- **Les liens.** Cliquez sur chacun d'entre eux pour vous assurer qu'ils fonctionnent.
- **Les images.** Assurez-vous que vos images apparaissent bien à l'emplacement souhaité et dans

les proportions voulues. Il arrive que les images ne s'affichent pas, suite à une indication erronée du chemin d'accès lors de la description d'un élément IMG ou plus simplement parce que vous avez oublié de mettre des guillemets au nom du fichier correspondant.

Mieux vaut traquer les erreurs avant la mise en ligne de votre site Web. Vos proches et amis se feront un plaisir de vous adresser des critiques... laissez-leur le moins de chance possible de vous briser le moral !

Mettre les pages en ligne

Internet est un peu la galerie d'exposition du créateur de site Web. Un site n'a pas de raison d'être s'il n'est pas mis en ligne. Pour franchir le pas ? Il vous faut :

- **Un fournisseur d'accès.** La plupart des fournisseurs d'accès proposent d'héberger les pages Web de leurs clients. Si ce n'était pas le cas, le tableau 9-1 dresse une liste non exhaustive d'adresses d'hébergement de sites Web. Vous trouverez toutes les informations relatives au téléchargement de votre site auprès de votre hébergeur.

Tableau 9-1 Services d'hébergement de sites Web

Hébergeur	URL	Commentaires
GeoCities	www.geocities.com	Ce site très connu vous permet de publier gratuitement vos pages Web. Vous pouvez également obtenir une adresse e-mail gratuitement.

Tableau 9-1 Services d'hébergement de sites Web *(suite)*

Hébergeur	URL	Commentaires
XOOM.com	xoom.com	Vous y trouverez de l'espace pour stocker vos pages Web, ainsi que des logiciels gratuits et des accès à des chats où vous ferez connaissance avec d'autres internautes.
Multimania	www.multimania.fr	Les membres peuvent publier leurs pages Web et participer à des chats et à des forums.
AOL Hometown	hometown.aol.com	L'adresse d'hébergement de site gratuite d'America Online.

- **Un logiciel de téléchargement de données.** Mais qu'est-ce que c'est ? C'est un programme permettant de transférer les données de votre ordinateur vers le serveur Web (le terme le plus souvent employé sur l'Internet est « upload »). La plupart des hébergeurs acceptent que vous transfériez vos fichiers par le biais d'un protocole Internet spécialisé nommé FTP *(File Transfer Protocol)*. WS_FTP est un des logiciels les plus courants utilisant ce protocole. Il est gratuit. Vous le trouverez à l'adresse suivante : `www.ipswitch.com`. Si vous utilisez un Macintosh, vous pourrez télécharger le programme Fetch à l'adresse suivante : `www.dart-mouth.edu/pages/softdev/fetch.html`.

Vous possédez peut-être un programme capable de réaliser des envois de fichiers. Windows 98 est fourni avec un assistant de publication Internet. Si tel n'est pas le cas, rendez-vous à l'adresse de Microsoft : `www.microsoft.com/ie`.

Visitez votre site !

Quoi de plus palpitant que de visiter son propre site Web pour la première fois ? C'est le moment de découvrir si tout ce passe comme prévu. Pour cela, il suffit de saisir votre URL dans le navigateur, exactement comme vont le faire vos visiteurs :

```
http://www.hébergeur.com/~utilisateur
```

Le symbole tilde (~) permet souvent de distinguer les dossiers des différents utilisateurs d'un même serveur.

Si vous avez saisi un URL correct et que tous vos fichiers ont bien été transférés sur le serveur, vous devriez voir apparaître votre page Web dans le navigateur.

Mettre à jour vos pages Web

Après avoir mis vos pages en ligne, demandez à vos amis de vous donner leur avis. Profitez de leurs remarques pour apporter les petites modifications afin de parfaire votre site.

Il est très important de tenir son site à jour. Quoi de plus désagréable que de visiter un site contenant des informations depuis longtemps obsolètes ? Afin de faciliter la mise à jour de votre site, il est conseillé de conserver sur votre disque dur une copie des fichiers composant le site. Vous pourrez ainsi les modifier, puis les essayer en interne. Vous les téléchargerez sur votre site lorsque le résultat vous satisfera pleinement.

Révisez avec FlashNotes

Cette section permet de tester les nouvelles connaissances acquises grâce au livre. Vous gagnez ainsi en assurance lors de vos premiers pas. Après avoir répondu aux questions, résolu les scénarios, assimilé les sujets de réflexion et effectué les travaux pratiques, partez à la conquête du Web !

Questions et réponses

1 Lequel de ces éléments contient les parties visibles d'une page Web ?

a. TITLE

b. BODY

c. HEAD

2 Nommez les trois familles de police les plus connues.

3 Que signifie CGI ?

a. Complete Gateway Interface

b. Common Gateway Internet

c. Common Gateway Interface

4 Quelle est la place de l'élément BODY dans un frameset ?

a. Contenu dans l'élément TITLE.

b. Il n'y a pas sa place.

c. Dans le premier cadre.

5 Quand devez-vous doter un cadre de l'attribut `noresize` ?

6 Lesquels des éléments suivants peuvent faire partie d'un tableau ?

a. IMG

b. TABLE

c. H2

7 Quel est l'avantage principal de l'élément CENTER ?

a. Il permet d'aligner tous les éléments qu'il contient.

b. Il possède plus d'options d'alignement que les autres éléments.

c. Il permet d'aligner verticalement d'autres éléments.

8 Qu'est-ce qui différencie un URL absolu d'un URL relatif ?

a. Un URL absolu ne comprend pas de nom de fichier.

b. Un URL absolu n'utilise pas de nom de dossier.

c. Un URL absolu commence par `http://` ou tout autre type de protocole Internet.

Réponses : (1) b. (2) Monospace, serif et sans serif. (3) c. (4) b. (5) Quand la taille d'un cadre ne doit pas pouvoir être modifié par le visiteur. (6) Tous. (7) a. (8) c.

Scénarios

1 Vous souhaitez utiliser une image de fond capable de constituer un motif régulier pour des résolutions de 640, 800 et 1 024 pixels de large, comment faire ?

2 Vous avez créé plus de cadres que d'éléments FRAME dans le frameset, vous obtenez des cadres vides. Que faire ?

3 Vous ajoutez un séparateur horizontal à votre page Web sans préciser d'attribut. L'épaisseur du séparateur varie en fonction du navigateur. Que faire ?

4 Vous avez dépassé l'espace disque alloué par votre hébergeur et souhaitez en changer, que faut-il faire impérativement ?

Réponses : (1) Choisissez une image d'une largeur qui soit un diviseur commun aux trois résolutions, comme 32. (2) Supprimez l'un des cadres ou ajoutez un élément FRAME. (3) Spécifiez une valeur pour l'attribut `size`. (4) Créez une page ayant pour tâche de rediriger le visiteur de votre ancien site vers le nouveau.

Sujets de réflexion

- Saviez-vous qu'un cadre peut contenir un frameset ? Il vous suffit de préciser l'URL d'un frameset pour valeur de l'attribut `src` d'un élément FRAME. Rendez-vous au chapitre 8 pour plus d'informations sur les cadres.
- Saviez-vous que les internautes peuvent paramétrer leur navigateur de façon à ce qu'ils n'affichent pas les couleurs de l'arrière-plan ? Si vous utilisez une police claire sur un fond noir, les visiteurs ayant désactivé la couleur de fond ne pourront pas lire votre texte. Rendez-vous au chapitre 2 pour plus d'informations sur les couleurs de fond.

Travaux pratiques

1 Créez une page Web contenant tous les noms de couleur en écrivant le nom de chaque couleur à l'aide de la couleur correspondante :

```
<P><FONT color="aliceblue">aliceblue</FONT>

<P><FONT color="antiquewhite">antiquewhite
</FONT>

<P><FONT color="aqua">aqua</FONT>

<P><FONT color="aquamarine">aquamarine
</FONT>
```

Rendez-vous au chapitre 2 pour plus d'informations.

- Appliquez l'élément FONT à des caractères contenus dans un élément H1. Que se passe-t-il ? Pouvez-vous en changer la taille ? Rendez-vous au chapitre 2 pour plus d'informations.
- Voyez combien d'éléments BLOCKQUOTE vous pouvez utiliser sans obtenir un seul mot par ligne. Rendez-vous au chapitre 3 pour plus d'informations.